Sagrada família

Natal,
inverno/2013

Zuenir Ventura

Sagrada família

ALFAGUARA

Capa
Raul Fernandes

Imagem de capa
© Joanna Jankowska/Trevillion Images

Revisão
Joana Milli
Ana Kronemberger

Editoração eletrônica
Abreu's System Ltda.

Esta é uma obra de ficção, inspirada em fatos reais. Ou não.

CIP-BRASIL. CATALOGAÇÃO-NA-FONTE
SINDICATO NACIONAL DOS EDITORES DE LIVROS, RJ

V578s
        Ventura, Zuenir
            Sagrada família / Zuenir Ventura. - Rio de Janeiro : Objetiva, 2012.

        228p.   ISBN 978-85-7962-141-3

        1. Ficção brasileira. I. Título.

12-3048.   CDD: 869.93
                                            CDU: 821.134.3(81)-3

Para Alice

Só dez por cento é mentira.
O resto é invenção.

Manoel de Barros

1. A injeção

Naquela noite perdi o equilíbrio e a inocência. Caí no chão ao ver o que não devia. Talvez tivesse sido a noite mais fria daquele inverno, e ainda por cima eu estava apertado para fazer xixi. Sabia que não podia sair dali, mas já não aguentava, e o frio aumentava minha aflição. Eu tiritava. Enfiava as mãos nos bolsos, esfregava as pernas uma na outra, sapateava, usava todos os recursos para não urinar na calça.

Tia Nonoca costumava tomar injeção numa pequena enfermaria no fundo da farmácia, reservada para isso e para primeiros socorros. Eu tinha que permanecer na porta pedindo aos eventuais fregueses que voltassem dentro de meia hora: "O seu Canuto está ocupado aplicando injeção, não pode atender agora", era o que eu deveria dizer. Acontecia sempre entre sete e oito horas, depois do jantar, mas nesses dias minha tia não jantava.

Quando sua irmã, suas duas filhas e eu íamos para a mesa, ela aproveitava para sentar-se diante do espelho da penteadeira do seu quarto, realizando um ritual meticuloso. Penteava o cabelo negro e liso, arrumando seu lindo coque, e passava pó de arroz, a única pintura que usava. Abria uma caixa de papelão redonda, retirava cuidadosamente a esponja com um pompom rosa em cima, e aplicava o pó nas maçãs do rosto. Em seguida, retirava o excesso com a mão, deixando apenas uma camada quase imperceptível. "Está aparecendo muito?", perguntava invariavelmente.

Eu comia correndo para pegar pelo menos o finalzinho dessa cerimônia, que me fascinava tanto. Terminava com minha tia abrindo o frasco de extrato Royal Briar, no qual molhava caprichosamente a ponta do dedo indicador e massageava a parte de trás da orelha. Já saindo, olhava-se de corpo inteiro no espelho, virava-se de perfil, encolhia a barriga que quase não tinha, jogava os seios para a frente, mordia os lábios várias vezes para torná-los mais vermelhos, pegava o casaco comprido de lã e dizia: "Vamos." Eu retardava o olhar naquelas ondulações meio rebeldes que um vestido preto, apertado, aprisionava com dificuldade.

Naquela noite, para ser o primeiro a chegar à calçada, desci a escada correndo. Esperei minha tia e seguimos de mãos dadas. Ao passar pelo bar do seu Juca, ela adivinhou o que eu queria: uma novidade que acabara de chegar à cidade e que consistia numa caixinha amarela com um tipo de bala que não era para chupar nem engolir, mas para ficar mastigando. Ninguém sabia qual era a graça, mas todo mundo queria experimentar.

— Na volta eu compro o seu *chiclets* — ela anunciou, caprichando na pronúncia inglesa. — Mas não pode mascar de boca aberta.

Fiz com a cabeça que sim. "E nem fazer barulho com a boca", completei por ela.

— E a calça comprida? Tou com muito frio nas pernas.

— Amanhã eu cuido disso.

Ela prometera convencer seu irmão, meu pai, de que aquele "varapau" ou "pinto-calçudo", como dizia, já era por demais crescido para continuar usando calça curta, ainda mais naquele frio. Eu tinha meus 9 anos e estava passando as férias de julho na casa dela, como sempre. Suas idas à farmácia ocorriam umas três vezes por semana, e eram para tratamento da saúde, conforme alegava. Nunca soube bem o que tinha, já que parecia muito saudável. Mas também nunca perguntei.

Eu gostava de acompanhá-la porque sempre arranjava um jeito de ficar com um olho na rua para ver quem entrava e outro no balcão de tampo de vidro onde estavam expostos os produtos à venda: sabonete, creme dental, esmalte de unha, vidros de perfume, além dos remédios. A farmácia era para mim um mundo inebriante de cores, imagens e sobretudo aromas. Às vezes tenho a impressão de que toda a memória daquele tempo foi feita de fragrâncias, fixou-se em mim através do nariz — é olfativa, mais que visual.

Minha tia usava o sabonete de Reuter, bem ali à vista e cuja propaganda falava em "algo intangível que se chama formosura, que toda mulher ambiciona". Nem sempre eu entendia o que os cartazes diziam: "Aura de frescor e encantamento para o toucador" é o que vinha escrito debaixo do desenho colorido de três mulheres lindas que usavam os produtos de Elisabeth Arden. O creme dental Squibb provocava uma "esplêndida sensação que invade todo o meio bucal".

O que mais me excitava, no entanto, era o reclame do sabonete de minha tia, que garantia às mulheres que se banhavam com ele uma "cútis deliciosamente asseada". Eu desconhecia o significado de "cútis", mas toda vez que lia aquelas três palavras sentia um leve arrepio que me remetia imediatamente a ela, ao cheiro de seu corpo quando saía do banho, à maciez de sua pele ao tocar na minha por acaso, à sedução que essas vagas sensações exerciam sobre mim.

— Vamos à picada, dona Nonoca? — disse o farmacêutico, logo que atendeu o último freguês.

— Só se o senhor prometer que não vai doer, seu Canuto.

Eles não tinham por que rir do que disseram. Injeção sempre me pareceu coisa séria. Mas riram. Ela, então, de um jeito malicioso, como eu nunca tinha visto antes.

— Fica firme aí, hein, Manezinho — ele me disse piscando um olho, e eu passei a odiá-lo a partir daquele momento. Eu detestava duas coisas: usar calças curtas e que me chamassem daquele apelido. "Meu nome é Manuéu, com u, Manuéu Araújo" (me orgulhava da grafia sem saber ainda que era um erro do escrivão), resmunguei. Até hoje me arrependo de não ter revidado com um xingamento que ouvira de minha própria tia, quando um dia se referiu a ele, falando para tia Celeste, como um "mulato peludo e nojento".

Acho, porém, que meu ódio repentino tinha mais a ver com aquele jeito cúmplice e debochado de rirem e de se olharem.

Percebendo minha irritação, o peludo nojento tentou me subornar: "Assim que surgir o primeiro fio de barba no seu rosto, vou te dar um presente de 13 cruzeiros e cinquenta centavos, ouviu bem? Treze cruzeiros e cinquenta centavos." Eu já sabia que se tratava do novo aparelho de barbear, o Gillette Tech. Eu devia convir que era um bom presente. Mesmo assim, a promessa não me apaziguou. Ele deve ter notado, porque foi lá dentro, apanhou qualquer coisa e trouxe para mim. "Cheira um pouquinho", disse baixinho, todo persuasivo, "você vai gostar". Era um maço de gaze umedecida que levei ao nariz e cujo cheiro era de fato inebriante. Imediatamente, senti uma mistura conflitante de torpor e euforia, anestesia e excitação, como se eu tivesse me desprendido de meu corpo e viajado para outra esfera da realidade, de forma tão intensa que demorei uma eternidade para voltar ao normal. O coração acelerou suas batidas e a visão ficou confusa. Só mais tarde vim a saber o que era aquela substância, quando já tinha me apegado ao seu cheiro de maneira obsessiva.

Um pouco ainda sob o efeito da inalação, fui para trás do balcão brincar de farmacêutico, mas sem tirar o olho da porta. Como queria ser médico quando crescesse, já ia treinando ali com meus hipotéticos clientes. "A senhora tá com dor de cabeça? Tome Melhoral, que é melhor e não faz mal." Gostava de repetir os reclames que a gente ouvia no rádio. Sabia todos de cor, mesmo quando desconhecia o sentido. Não fazia a mínima ideia do que fossem "cólicas menstruais" nem "padecimentos dos órgãos útero-ovarianos", mas repetia feito um papagaio os anúncios do Regulador Gesteira. "A senhora tem tristezas súbitas, palpitação, tonturas, calor e dores de cabeça, enjoo, congestões internas? Tome o Regulador Gesteira."

"Não quer levar também um tubo de Colgate, o creme dental que elimina o mau hálito, ou prefere a Água de Colônia Regina, 'de perfume flagrante e ameno'?" "Se fosse a senhora, trocava para Royal Briar, 'o perfume que deixa saudades', e que minha tia usa. E o senhor aí, não quer tomar o Iodalb, que não deixa o coração envelhecer?"

Dessa vez mal pude passar o olho pela vitrine. A vontade de urinar era tanta que larguei o balcão, meu posto de vigilância, e saí correndo para o banheiro, não dava para esperar. Além do mais, quem iria entrar na farmácia àquela hora? A umidade e a neblina tinham se encarregado de esvaziar as ruas, mesmo antes da chegada do trem "Vassoura", assim chamado porque "varria" todo mundo para dentro de casa às nove horas.

Como um monstro de outra era, a máquina rompia a neblina bufando e soltando baforadas de fumaça que se confundia com o nevoeiro. O barulho, abafado, assustador, chegava antes. Só alguns minutos depois ia se ver o que já se ouvia. Em noites como essa, a bruma espessa envolvia a cidade de tal maneira que se perdiam os contornos e a nitidez.

Hitler aterrorizava a Europa, outro navio brasileiro tinha sido afundado pelos nazistas, o sétimo naquele ano de 1942, o mundo ameaçava pegar fogo, os ecos da guerra distante já eram ouvidos, mas Florida, cidade das flores, dormia em paz, pelo menos por enquanto. A única pessoa a passar, completamente bêbado, fora "Pé de chumbo", arrastando as pernas inchadas que lhe deram o apelido. Se meu primo Emílson estivesse comigo, ele gritaria: "Péééé de chumbo!" E a gente se esconderia para ouvir a resposta: "Pé de chumbo é a mãe, seu filho da puta!"

A Pharmacia Canuto ficava no número 107 da avenida Amsterdam, a principal da cidade, e tinha duas portas largas, feitas de folhas de aço flexíveis que, depois de abertas por meio de uma mola, permaneciam enroladas em cima. Um pequeno gancho na ponta de uma vara tornava possível fechá-las, puxando-as para baixo com um barulho que sempre assustava quem estava passando. Lembrava o disparo de uma metralhadora. Para me bajular, seu Canuto às vezes me deixava fechar uma dessas portas. Muito magro, eu tinha que usar todo o peso do corpo para arriá-las. Me sentia forte, tanto quanto aquele homem parado ali na entrada, segurando nas costas um enorme peixe. De papelão, o anúncio do Óleo de Fígado de Bacalhau era muito mais alto do que eu. Mas eu chegaria lá.

As prateleiras da farmácia iam até o teto; na frente, havia os balcões para atender a freguesia. No fundo ficava a bancada de embrulho, com a pilha de papel, o rolo de barbante e a caixa registradora. Disfarçadas entre as estantes, duas portas estreitas: à direita de quem entrava, a que dava para a sala de injeção; a da esquerda era a do sanitário.

Os dois cômodos, o da privada e o da injeção, eram separados por uma parede com janela basculante no alto. Mal tive tempo de me desabotoar. Que alívio! Só quando cessou o ruído da urina caindo no vaso é que eu comecei a ouvir os estranhos gemidos. Primeiro, devagar e quase sussurrados, mas aos poucos foram aumentando de intensidade, enquanto o ritmo também se acelerava. Minha angústia crescia na mesma proporção. Os gemidos pareciam de minha tia. Pareciam não, ouvindo bem, eram dela, tinha quase certeza: "Coitada da minha tia, ela está sofrendo", pensei. Apesar da pouca idade, eu já sabia o que era injeção: doía à beça. Era mentira que no braço doía mais do que na nádega. Doía igual. Eu preferia no braço, não gostava de ficar deitado de calça arriada, com alguém apalpando minhas nádegas.

Os gemidos continuavam e alguma coisa precisava ser feita. Talvez ela precisasse de ajuda. Fechei o tampo da privada, peguei o caixote onde se jogava papel higiênico usado e subi em cima.

Não entendi logo o que vi, mas jamais iria esquecer a cena. Minha tia estava ajoelhada e de bruços numa cama estreita, desconfortável, espécie de maca. A saia, suspensa, descansava sobre os ombros. De onde eu estava dava para ver seu rosto pousado sobre as mãos, de perfil, os olhos semicerrados, a respiração ofegante. Ela obedecia a movimentos ritmados e, de vez em quando, apertava a boca como se quisesse conter um espasmo ou uma pontada. De repente, o corpo era agitado por contrações bruscas. Seu Canuto parecia montado sobre ela. Era isso?

Eu não conseguia reconhecer minha tia naquele rosto crispado, naqueles ruídos confusos, desordenados, naquele corpo que se mexia por contrações, a respiração ofegante, acelerada. Não só o que eu via era desconhecido para mim. O que eu sentia também. Por mais que eu procurasse, não encontrava em mim nenhuma sensação anterior que se parecesse com aquela. Continuava sem compreender bem o que faziam, mas com certeza era por isso que ela gemia. A posição devia ser muito incômoda. Seria preciso tudo aquilo para tomar uma injeção? Ela devia estar sentindo muita dor, pois não parava de gemer, balbuciando coisas desconexas como "ahn, ai, assim, mais". Mas se estava doendo, como seus gemidos indicavam, por que pedia "mais"?

E as mãos peludas do seu Canuto? Não, não estavam segurando nenhuma seringa. Na verdade, estavam segurando tia Nonoca por trás e pela cintura.

Comentava-se na família que tia Nonoca, quando jovem, havia sido uma das mulheres mais bonitas da cidade. Agora, viúva, sentia-se obrigada a andar toda de preto, com o cabelo puxado para trás. A roupa e o penteado procuravam fazê-la parecer velha, sem conseguir, e o luto exagerado tentava prolongar uma dor que ela já não sentia. Nada, porém, lhe diminuía a beleza do rosto e nem chegava a encobrir as formas bem-feitas de um corpo atraente.

Aos 37 anos de vida e dois de viuvez, ela tinha a pele lisa, sem qualquer ameaça de ruga. Os olhos pareciam sempre umedecidos de tão brilhantes. Os lábios vermelhos dispensavam batom e, no entanto, pareciam pintados. Como aquela personagem de Machado de Assis que tinha "quarenta anos na certidão de batismo, e vinte e sete nos olhos", tia Nonoca tinha 27 anos no jeito de andar, ou até menos. Pisava firme, sem que isso impedisse um leve e sinuoso movimento de quadris ao caminhar. Sua maneira de olhar e de falar traía às vezes uma sensualidade que os modos austeros procuravam esconder. Já tinha ultrapassado a fase de "inconsolável", que em geral durava um ano. Já podia ser cortejada, com boas ou más intenções. Até agora recusara todos os assédios, mas não levava mais flores ao túmulo do falecido como fazia antes, de 15 em 15 dias.

Eu a teria descrito hoje como uma bela e excitante mulher, mas aos olhos da época, e principalmente aos meus, era ou devia ser uma veneranda, respeitável senhora.

O fato de ter duas filhas bem mais velhas do que eu, uma de 15 e outra de 14 anos, aumentava o meu mal-estar, já que todos, achando-a conservada demais, diziam quase que recriminando-a por isso: "Nonoca não parece ter a idade que tem!" Uma balzaquiana de 37 anos devia ter então uma aparência que correspondesse à sua idade, já meio avançada, segundo a avaliação rigorosa do seu tempo. Não se deve esquecer que a expectativa de vida dos brasileiros nessa época era de pouco mais de 42 anos.

* * *

O farmacêutico parecia agora mais nojento ainda, porque o esforço despendido em movimentos repetidos fazia escorrer lentamente de sua calva um suor viscoso, repugnante. Ele não respirava, resfolegava, soltando sons guturais que me soavam inconvenientes. Não era uma injeção, não podia ser. Mas se não era isso, o que era então? Se eu morasse em Florida e convivesse com meus primos, mais experientes, teria sabido do que se tratava. Mas eu vivia em Bom Destino, em Minas, e passava o tempo quase todo no Ginásio Anchieta, onde estudava semi-interno. E ali, garantia o padre José, os *pecata mundi* não entravam. Só muito mais tarde identifiquei no que havia sentido o choque de ter assistido a algo como uma profanação. Naquele momento, vinham à memória confusamente descrições de martírios de santas que eu ouvira nas aulas de religião. A medalhinha pendurada no pescoço de minha tia estimulava essas evocações místicas. Depois de minha mãe, tia Nonoca era quem mais se aproximava da vaga noção de santa que eu tinha. O que fazer por minha tia?

A lembrança dessa cena iria perturbar muitas de minhas noites adolescentes. Ela vinha misturada com sonhos e desejos que mexiam não apenas com emoções e sentimentos, mas sobretudo com os hormônios, causando um alvoroço interno. Regiões do corpo até então quietas e serenas, como o sexo, se agitavam e assumiam novas formas, se enrijeciam de repente. Uma parte de mim sentia grande prazer nessa transformação, outra se angustiava. Eu queria que alguém explicasse o que estava acontecendo comigo, mas não tinha coragem de perguntar. E perguntar a quem?

Minha aflição foi tanta que acabei escorregando e perdendo o equilíbrio. Caí com estrondo no chão, depois de resvalar pelo vaso. Mal me levantei e abri a porta, seu Canuto e tia Nonoca estavam na minha frente. Poucas vezes tive tanto medo. Os dois me ameaçavam ao mesmo tempo, era um bombardeio: que coisa feia! O que eu estava fazendo ali? Eu não podia ter feito aquilo, eu cometera um grave pecado! Nunca mais ia pisar na casa dela, adeus, férias.

A um sinal de minha tia, o farmacêutico se calou. Ali mandava ela. Queria conduzir o interrogatório sozinha. Aquele mulato baixo, gordo e, como já se disse, peludo não tinha qualquer atrativo especial, a não ser um certo ar de lascívia que parecia sair de seus lábios grossos e do olhar indecoroso, quase obsceno que dirigia às mulheres que entravam na sua farmácia — e entravam muitas. Essas observações, porém, eu viria a fazer já adulto, juntando recordações de algumas das ex-frequentadoras da farmácia. "O segredo dele", me explicou uma delas, cheia de segundas intenções, "é que estava sempre pronto a atender às necessidades das freguesas. Era prestativo e incansável". A julgar pelo espetáculo a que eu assistira, ele recebia muitas solicitações de bis. Devia ser constante o movimento na sala de injeção.

Naquele instante, porém, de braços cruzados, ele era apenas um obediente feitor que cuidava para que eu fosse devidamente punido.

— Isso que você fez não se faz — minha tia prosseguia me repreendendo energicamente, mas com voz calma e pausada, e isso me assustava mais do que se ela gritasse.

Eu tremia sem conseguir dizer nada. O meu silêncio era de espanto. Se ela não entendia o que eu havia feito, eu também não conseguia entender aquela reprimenda.

— Por que você subiu ali na janela?

Não consegui responder que queria socorrê-la, pois ela estava gemendo de dor. Eu chorava de medo, mas também de pena de mim. Por que ela estava fazendo aquilo comigo?

— Você vai jurar uma coisa.

Fiz que sim com a cabeça. Juraria qualquer coisa. Ela parecia não acreditar muito na eficácia de suas ameaças. Achava necessário repeti-las.

— Você vai jurar, vai jurar que não conta a ninguém o que viu aqui, a ninguém. Nem aos padres, quando voltar para as aulas.

Fiquei pensando como reagiria quando padre José começasse a me espremer, querendo um pecado maior, mais cabeludo, como fazia sempre: "Isso não é pecado; conta os outros, os pecados maiores: maus pensamentos, más ações, vamos. Você não se tocou com as mãos, não tocou seu corpo? Diz a verdade. Que parte do corpo você tocou?"

Um dia sua irritação chegou ao máximo quando, numa tentativa de colaborar, respondi: "Agora estou me lembrando, seu padre, que, escondido, enfiei o dedo no nariz." "Aonde mais? Aí é porcaria, não é pecado. Vai embora!"

Um colega havia me prevenido que se deveria negar sempre, senão o padre marcava um encontro na sacristia para que se repetisse com ele o que a gente confessava ter feito com a gente mesmo. Era uma espécie de penitência. Padre José tinha também como costume — conforme atestavam os mais escolados — não usar qualquer roupa debaixo da batina, nem mesmo cueca. Uma das brincadeiras que propunha era fingir-se de sino, cujo "badalo" ele mandava que os alunos tocassem.

Ele podia insistir que eu não ia contar o que vi. Tinha por tia Nonoca, além de fascínio, gratidão. Ela forrava minha cama com um oleado impermeável para proteger o colchão, e de manhã cedo me acordava para retirar o lençol molhado. Nunca disse para ninguém, nem para as filhas, que eu urinava na cama. Sabendo que eu morria de vergonha, evitava comentar até comigo.

— Você não podia ter feito o que fez — minha tia voltava a me recriminar.

Eu queria dizer que, ao subir no caixote, não sabia que ia ver o que vi. Mas não conseguia dizer nada. Tia Nonoca, abaixada, segurava com força meus pulsos. Seus olhos estavam na altura dos meus. "Olha pra mim", ela ordenava. Seu Canuto continuava de pé, ao lado, sem dizer nada. De vez em quando dava uma espiada para ver se estava entrando algum freguês.

— Olha pra mim. Você vai jurar pela sua mãe, vai jurar que quer ver ela mortinha se contar para alguém o que viu. Presta atenção: se contar, você sabe que sua mãe morre e que você vai para o inferno.

Minha mãe era o que eu mais gostava na vida, e o inferno, o que mais temia no colégio em que estudava para ser padre. Eu queria dizer "chega!" pra minha tia, mas não conseguia. Queria tranquilizá-la, garantir que jamais contaria aquilo pra ninguém, ela podia ficar sossegada, mas não conseguia. Só conseguia dizer sim com a cabeça e chorar sem fazer barulho, enquanto pensava: "Bem-feito. Por que você foi se meter onde não era chamado?"

Foi a primeira ameaça que recebi em minha vida, mas nenhuma outra iria suplantá-la em poder e força. E havia o segredo — incômodo, pesado. Como eu iria conviver com ele, carregá-lo dia e noite? Dormir e acordar com aquelas imagens que provocavam sensações tão intensas e confusas. Os gemidos de minha tia, seu rosto contraído, o coque desfeito, os olhos meio abertos, meio fechados, como se tivessem dificuldade de ver. Era o retrato da submissão, tão diferente deste de agora: ela ali, na minha frente, recomposta, a cara enérgica, o olhar completamente mudado, ameaçador.

Apavorado, eu sabia que nem precisava jurar para carregar comigo aquele segredo para sempre. Não contaria para ninguém, a não ser para Emílson, que era meu melhor amigo. Mas só mais tarde, quando deixasse de urinar na cama, isto é, quando minha tia não pudesse mais dizer que trocava meu lençol todas as manhãs. Era o segredo dela contra o meu. Um acordo tácito estabeleceu-se entre nós: eu não diria nada do que sabia e ela mentiria sempre que alguém perguntasse se eu continuava fazendo xixi na cama. Assim, na hora da briga, meus irmãos não poderiam me chamar de "mijão de cama".

2. O perigo no ar

Na noite em que tia Nonoca fez o que fez, ela voltou para casa andando depressa, mal dando para eu acompanhá-la, muito menos para segurar sua mão. Não me dirigiu a palavra uma vez sequer. Minto. Só uma vez, quando eu lhe perguntei: "Tia, e o meu *chiclets*?" A resposta foi brusca:

— Você hoje não merece ganhar nada.

— Mas a senhora prometeu.

— Prometi, mas não vou dar mais, pronto.

Ainda bem que a distância era pequena. O sobrado onde ela morava ficava no número 113 da avenida Amsterdam, a umas quatro casas da farmácia, no 107, indo na direção da Praça Central. Fomos num pulo. Ela subiu as escadas de dois em dois degraus e chegou esbaforida perguntando pelas "meninas". Com aquele frio, o que elas estavam fazendo na rua? O vento soprava como se tivesse passado antes por uma geleira. No dia seguinte, eu estaria com os lábios rachados. Esquecera de levar o meu tablete de manteiga de cacau e não quis pedir o de minha tia. Com aquele mau humor, ela não ia emprestar.

Tia Celeste, irmã mais nova de Nonoca, sempre conciliadora, explicou que as meninas haviam dado uma "chegadinha" na padaria, mas voltariam logo. Minha tia não gostou; achava que elas estavam muito soltas e que a irmã passava a mão pela cabeça das duas sobrinhas. A mãe não se preocupava com a mais nova, Leninha, a de 14 anos. Desconfiava, porém, que Cotinha andava de namoro. Não que não tivesse idade para isso. Já era até meio "passada". Com 15 anos, já devia ter um namorado. O problema era quem. Teimosa, metida a independente, era capaz de querer escolher com quem iria se casar, sem dar ouvidos a ninguém. "Mas para isso vai ter que passar por cima do meu cadáver", costumava dizer tia Nonoca, repetindo uma frase de que gostava muito.

Tia Nonoca não quis se casar de novo. Fora muito feliz e achava que não encontraria um pretendente à altura do falecido marido. Anunciava que queria manter-se fiel à sua memória. "Como aquele não encontro outro", repetia. Mas o impedimento maior eram as filhas. "Como botar um homem dentro de casa com essas duas meninas? De jeito nenhum." Talvez o mais prático — é possível que pensasse assim — fosse mesmo frequentar a farmácia.

Minha tia tinha opiniões tão firmes quanto o seu andar. Seu rigoroso código moral se aplicava não só às filhas, mas também às irmãs, cunhadas, vizinhas e conhecidas. Só ela sabia como devia se comportar uma moça de família. "Comigo tem que andar na linha", pregava em voz alta para que não houvesse dúvida. Era a mais temida da família. Estava sempre com a língua em riste para derrubar reputações femininas.

Ela não fazia qualquer concessão ao bom humor. Era daquelas pessoas que sentem prazer em oferecer motivos para não se gostar delas. Nunca dera uma gargalhada, e, como tinha sempre um propósito de ordem moral, justificava: "Muito riso, pouco siso."

Minha mãe sofria com ela por não ser casada de papel passado com meu pai, e não por culpa sua. Tendo "feito mal" a uma jovem empregada da casa de vovó, ele fora obrigado a reparar o dano casando-se com a "negrinha", como a chamavam na família. Vovô o obrigara, sem apelação, mesmo antes de saber que ela engravidara. "Fez mal, tem que reparar", era a ordem paterna. E foi assim que, anos depois, quando conheceu minha mãe, meu pai não pôde pedi-la em casamento: teve que se "juntar" com ela. Essas razões, porém, não serviam para atenuar o julgamento de tia Nonoca. "Não interessa", dizia, implacável, "não é casada".

Mamãe ia à forra da discriminação chamando-a, a ela e a duas de suas irmãs, de "as mariposas". Referia-se a um hábito das três de passearem furtivamente por algumas ruas depois que o último trem passava, quando a cidade já dormia, o que por si só constituía uma prática suspeita, independentemente do que elas pudessem fazer de errado. A não ser no verão, só os boêmios ousavam permanecer nos bancos da praça depois das dez horas da noite. A neblina espessa não estimulava os passeios noturnos, se apenas o frio já não fosse suficiente para desaconselhá-los.

Os alimentos que, por falta de geladeira, se punham do lado de fora da janela, amanheciam congelados. As roupas dependuradas no varal só amoleciam lá pelo meio-dia, quando o sol derretia o gelo. Nunca chegou a nevar, mas a geada deixava a grama coberta de uma fina camada branca que confundia os visitantes. Muitos veranistas que se aventuravam na cidade durante as férias de inverno acreditavam ter visto neve sobre o gramado das casas.

"E o que elas fazem?", perguntei um dia sem malícia, estranhando mais a coragem das três notívagas de enfrentar as condições meteorológicas adversas do que as suas motivações secretas. A pergunta foi devolvida carregada de segundas intenções: "Pois é, o que elas fazem?"

Só mais tarde eu iria saber.

Como toda mãe floridense, Nonoca temia que se acercassem de suas filhas dois tipos igualmente perigosos: os maus elementos — farristas ou desocupados, em geral as duas coisas — e os "agatês", uma espécie então muito comum. Agatês eram os internos do HT, Hospital dos Tuberculosos de Florida, que disputava com Nova Friburgo o título de melhor clima e de melhor estação de cura. Seu hospital não era tão famoso quanto o do Sanatório Naval da cidade rival, e nenhum dos dois ficou na história da literatura como o de Clavadel, na Suíça, que conheceu pelo menos dois grandes poetas vítimas da tuberculose — Manuel Bandeira e Paul Éluard — sem falar em Mlle. Diakonova, namorada deste último e, mais tarde, já como Gala, mulher de Salvador Dalí. Em compensação, os HTs das duas cidades criaram uma categoria de doentes que na zona de meretrício eram tidos como atletas sexuais, certamente em razão de um ou outro desempenho extraordinário.

Havia o mito de que a tuberculose despertava um apetite sexual insaciável, e sobre isso corriam várias lendas. No Beco da Vila Alegre, a zona de meretrício, contavam que um jovem tísico passara uma noite trocando de parceiras, até que, de orgasmo em orgasmo, acabou esvaindo-se em sangue, durante uma formidável hemoptise.

A decantada resistência desses forasteiros que subiam a serra em busca de cura não deixava de exercer sobre as moças da cidade um misto de fascínio e de pavor de contágio, atiçado pelas mães. Como o bacilo de Koch se transmitia pelo hálito, por um espirro, uma tosse ou pela saliva, e podia permanecer no ar durante horas, minhas primas, antes de sair, tinham que ouvir uma ladainha: "Cuidado com os agatês, não bebam água em bar, não sentem em vasos sanitários, não falem de perto com um desconhecido." Beijo então era impensável.

Os agatês viviam pelos bancos das praças tomando banho de sol nas manhãs frias de inverno. Os mais graves eram facilmente reconhecíveis pelos pesados casacos e principalmente pelos rostos encovados e a tosse renitente. Mas de muitos nem se desconfiava. Inadvertidamente, eu mesmo cheguei a trabalhar no laboratório de prótese dentária do dr. Agnaldo — dele, de sua mulher, também dentista, dra. Eliana, e do dr. Gildo. Eu fazia a faxina e entregava as encomendas. Só depois de algum tempo é que minha mãe, avisada por alguém, descobriu que todos eram tuberculosos.

Mandou então que eu tirasse com urgência uma "chapa" dos pulmões e não me deixou voltar ao emprego. Pelo que eu fazia, tinha muita chance de adquirir a doença. O dr. Agnaldo, que parecia em pior estado, trabalhava sentado num banco alto diante de uma bancada de mármore. Entre a pequena prensa e a máquina de polir dentaduras que utilizava, havia uma abertura quadrada por onde ele escarrava — e ele fazia isso o dia todo. Embaixo, uma lata usada de querosene servia de depósito dos bacilos escarrados. Cabia a mim a tarefa diária de jogar fora aquela infecta mistura de poeira e catarro, lavando a lata. Todos trabalha-vam com máscaras cirúrgicas, menos eu.

O resultado do exame de raios X foi nega-tivo, e acho que a experiência serviu para me criar anticorpos e a ter excelentes pulmões para o resto da vida.

Mas foi na Praça Holandesa, vendo um homem ainda jovem vomitando sangue e quase morrendo asfixiado, que eu aprendi o que era uma hemoptise. Pessoas passavam por perto quando ele começou a tossir e a encharcar o lenço de sangue, mas ninguém tinha coragem de se aproximar. Um senhor me impediu de chegar perto, "é perigo-so!", e mandou que eu fosse embora, mas eu fiquei olhando. A agonia durou até que chegasse a ambu-lância. Alguém que assistia de longe com certeza pedira socorro ao hospital.

Hemoptise e pneumotórax eram palavras que davam medo, mas a pior ainda era mesmo "tu-berculose", que se evitava pronunciar. Nunca ouvi em minha casa (e poucas vezes na rua) alguém dizer: "Fulano é tuberculoso." Dizia-se "fulano é fraco" ou, mais raramente, "é tísico" — até chegar à cidade o eufemismo moderno: "Fulano é agatê."

Uma de minhas fixações sexuais de ado-lescência era uma misteriosa balzaquiana de uns 30 anos, "fraca". De pele clara e muito magra para os padrões da época, o que mais excitava minhas fantasias era o fetiche dos olhos fundos, enterrados no meio de olheiras lilases, com um olhar triste e voluptuoso, quase agônico — o equivalente feminino dos agatês. Nas minhas viagens onanísticas, eu a via como uma ninfomaníaca capaz de gozos infindáveis, até se esvair em sangue — tudo isso, claro, comigo. Alguns de meus melhores orgasmos induzidos levavam o seu nome: Marina.

"Orgasmos induzidos" eu digo hoje, porque na época, quando o professor Jurandir esforçava-se para explicar com sutileza o que a expressão significava, um colega cara de pau interrompeu-o, provocando um sério incidente.

— Professor, isso que o senhor está dizendo não é a nossa popular punheta?

Foi expulso da sala, e só não foi do colégio porque convenceu o diretor que não era conveniente contar o episódio para sua mãe, palavra por palavra.

Um dia não encontrei Marina no banco em que costumava tomar sol todas as manhãs. Nem no dia seguinte. Marina nunca mais apareceu.

Não demorou muito e as meninas chegaram, escabreadas. Tinham sempre que prestar conta do que faziam na rua: onde tinham estado, com quem tinham andado, o que tinham visto. Isso não significava que o relatório correspondesse necessária e fielmente ao ocorrido, mas tranquilizava sua mãe. Mentia-se muito, e acreditava-se muito nas mentiras.

— Onde é que vocês estavam? — perguntou tia Nonoca, naquele mesmo tom que usara comigo havia pouco.

— Estávamos na padaria, tia Celeste não avisou a senhora? — respondeu Cotinha, a mais petulante — Não se pode mais comprar um doce na padaria?

— Sem me avisar, sua malcriada, não podem nem descer a escada, vocês sabem.

Cotinha não entendeu a reação da mãe, embora soubesse que ela era, como dizia, "de lua".

— A senhora vem sempre tão bem disposta dessas injeções, por que está assim hoje?

Por instantes suspeitei que a pergunta tivesse uma intenção que só eu e minha tia conhecíamos. Tremi. Mas era apenas uma cisma.

Tia Celeste tentou interceder, dizendo que ainda era cedo, só agora o trem "vassoura" passara, mas foi logo interrompida.

— Não se meta, as duas estão assim por sua causa, você dá muita corda a elas.

Por ser a caçula dos 11 filhos, dos quais oito eram mulheres, ela era afilhada de Nonoca, a mais velha, a quem havia pouco ainda chamava de "senhora". Loura de olhos azuis, puxara a avó, descendente da primeira leva dos holandeses que colonizaram Florida. Já a morena Nonoca herdara os traços do avô português. Quem quisesse irritá-las bastava chamar uma de "alemoa" e a outra de "galega", como aliás os irmãos homens faziam em criança na hora das brigas.

Celeste tinha 20 anos, era "noiva para casar" e se identificava mais com as duas sobrinhas do que com a irmã, que de certa maneira a criara. Ao contrário de tia Nonoca, sempre pronta a dizer "não", a dificultar as coisas, tia Celeste fazia tudo parecer fácil. Estava sempre disposta a ajudar, a tornar o mundo menos complicado. Nascera para abrandar corações e atenuar conflitos, principalmente os provocados por sua irmã. Sua especialidade era desviar o rumo da conversa quando os ânimos se exaltavam. Era uma tática ardilosa:

— Sabe quem eu encontrei ontem, Nonoca? — ela dizia, irritando mais ainda a irmã.

— Não sei, não quero saber e tenho raiva de quem sabe.

Tia Celeste ignorava e prosseguia:

— A Marlene, que vivia falando mal de você, se lembra?

— E você deu conversa àquela hipócrita!? — rugia.

Pronto. Ela passava a xingar a antiga colega e a recriminar a irmã. Mas aí o assunto já tinha mudado, já era a "hipócrita". Quando tia Nonoca dizia "não pode", tia Celeste, escondido, piscava o olho, querendo dizer "deixa comigo".

— Mamãe acha que só ela tem juízo, que nós somos umas doidivanas — reclamou Cotinha.

— Não são doidivanas porque eu soube criar vocês. Não pensem que agora, só porque acreditam que estão criadas, eu vou facilitar.

Minha tia era capaz de defender as filhas como uma leoa, principalmente dos homens, considerados um perigo permanente. "Homem nenhum presta", costumava dizer. "E meu pai?", provocava Cotinha. "Esse morreu", respondia, como se tivesse morrido por ser bom.

— A senhora tá precisando arranjar alguém, mãe, tá muito neurastênica!

— Se repetir isso te ponho de castigo.

Era um diagnóstico injusto, o da filha. Se havia neurastenia na história, a causa não era sexualidade reprimida. Leninha, que a tudo ouvia sem abrir a boca, pois morria de medo da mãe, achou melhor pegar a irmã pelo braço e levá-la para o quarto, acalmando os ânimos. Foi pior, porque a provocação continuou: abrindo uma revista *O Cruzeiro*, Cotinha falou alto, para ser ouvida na sala:

— Olha só, Lena, esse reclame: "Se você está triste, aborrecida, desanimada, zangando-se pelas cousas mais insignificantes, se o seu gênio está alterado, tome Regulador Gesteira."

Enquanto Cotinha gostava de desafiar a mãe, Leninha necessitava de sua aprovação, e usava a obediência para conquistar sua afeição. Quando discordava, por menor que fosse a divergência, sentia-se culpada e não sossegava enquanto não obtinha a reconciliação materna, quase sempre à custa de abrir mão de suas convicções. A submissão era uma inclinação tão irresistível na caçula quanto o impulso à rebeldia fazia parte da natureza da mais velha.

Quando ouviu aquela "indireta" da irmã, Leninha abriu depressa a porta e ligou o rádio. Na Nacional, o Repórter Esso, na voz de Heron Domingues, dava as últimas notícias: Mais um navio brasileiro tinha sido torpedeado por um submarino alemão. Mudou logo para a PRA-9, rádio Mayrink Veiga, onde estava começando o programa que a família toda ouvia: "Os milionários do riso Alvarenga e Ranchinho." Era hora de desopilar o fígado.

Enfim, depois de muitos meses, não urinei na cama. Também, pudera. A cada momento eu era acordado pela perturbadora cena que presenciara no fundo da farmácia. Foi um sono agitado.

3. O cheiro proibido

A Pharmacia Canuto ficava no meu trajeto diário, mas nunca mais olhei lá para dentro. Havia um cantinho dentro de mim impertinente, que mantinha acesa "aquela" lembrança, variando de intensidade como a chama insistente de uma vela. Às vezes quase apagava, para em seguida reacender. Aos poucos, tia Nonoca foi voltando às boas comigo. Pelo menos não respondia mais com muxoxo quando eu lhe fazia alguma pergunta. Mas não me chamou mais para acompanhá-la a lugar nenhum. Sofri com o castigo. Sim, porque devia ser castigo. Penei com o silêncio e o desprezo dela. Senti falta de sua mão segurando a minha, do *chiclets* e, principalmente, de vê-la se aprontando para tomar injeção. Saudade daquela noite em que ela, de repente, mas como se tivesse refletido antes de tomar a decisão, disse, mais para ela mesma, "sabe de uma coisa? Vou tirar minha combinação". Mandou que eu me virasse para a parede, eu fingi que obedeci, e fiquei espiando a cena refletida no vidro do armário. Ela puxou a peça com alças pela cabeça e ficou só de calcinha e sutiã. Nunca a tinha visto tão desnuda assim. O tecido da combinação era cor de pele, e a pele parecia feita daquele tecido brilhante que mais tarde soube chamar-se cetim.

Não ia ver mais isso, mas também não seria mais seu moleque de recado. Fim àquela história de "chispa, vai lá correndo entregar isso a seu Canuto. Mas presta atenção" — e toda vez que ela dizia isso eu tinha uma contração de medo — "só nós três podemos saber". Eu me sentia importante participando daquele jogo secreto, sendo cúmplice de uma trama que eu não sabia qual era, mas que tinha um confuso sabor clandestino.

Agora, eu passava pela farmácia correndo com alguns colegas de rua e ia até a Estação da Leopoldina, que era o limite de minha liberdade. Até ali eu podia ir sem pedir consentimento a ninguém.

Na volta, eu vinha devagar, saboreando o ar frio da manhã. No inverno, o sol se atrasava, demorava a atravessar a rua e só dava as caras do lado de cá, na "nossa" calçada, às 11 horas. Mesmo assim, fraquinho e tímido, demonstrando uma certa hesitação. Chegava como que estafado de sua luta diária para romper a neblina.

Era possível percorrer todo aquele trecho de olhos fechados, guiado apenas por odores e fragrâncias. Aqui era a padaria, e estava saindo mais uma fornada de pães frescos. Era o cheiro que mais me apetecia, que me fazia salivar, mais gostoso até do que o aroma seguinte, o da torrefação de café, onde eu parava para ver a máquina triturando os grãos, moendo e fazendo o pó. Em seguida, era o fedor de carne crua do açougue. Mas logo depois surgia o cheirinho adocicado que me fazia sonhar, o da barbearia do seu Afonso. Não via a hora de poder entrar ali para fazer minha barba com aquela espuma cheirosa no rosto.

Quando sentia o cheiro meio entorpecente do éter usado nos curativos, eu sabia que devia virar o rosto para o outro lado. Junto com todos os juramentos que fiz à minha tia naquela noite, havia um, silencioso, dirigido a mim mesmo: nunca mais eu ia olhar para "o mulato nojento", que era também como minha mãe o chamava, por puro preconceito, pois só o conhecia à distância. Imagina se ela soubesse o que eu sabia. Ou será que sabia? Não sei. Embora fosse sofrer, nunca mais entraria ali, onde gostava tanto de brincar. Adeus sabonete Lever, creme dental Squibb, batom Colgate, água de colônia Regina, perfume Bond Street da Yardley e principalmente aparelho Gillette Tech. Quando minha barba aparecesse, eu iria no seu Afonso.

Por muito tempo escondi — até de mim mesmo — o que reluto em contar agora. Mas a verdade é que voltei várias vezes à farmácia. Voltava para receber o que seu Canuto, com prazer perverso, me oferecia a cada ida: a gaze embebida em éter. Depois daquela primeira vez em que ele me corrompera, eu me habituara ao ritual a que o maldito farmacêutico me submetia. Ia todos os dias lá, mas nem sempre era atendido. Ele se divertia em me torturar. Trazia a gaze molhada, balançava na frente do meu nariz como se fosse um pedaço de carne diante de um vira-lata faminto, e recuava. Repetia o gesto até eu me desesperar. "Conta o que ela fez", ele cobrava então. A condição era essa. Eu só tinha direito ao cheiro proibido se revelasse algum segredo de minha tia: se havia saído com algum homem, se tinha passeado à noite na avenida Beira-Rio com as irmãs. Para ter acesso à minha dose, eu inventava histórias e acompanhantes inexistentes. Durante meses, fiquei completamente dependente daquele ritual sádico. A família não conseguia encontrar explicação para aquela mudança de comportamento, que oscilava entre estados de ânimo opostos: ora eu estava alegre, quase eufórico, ora acabrunhado, melancólico. Um dia, passando pela porta da farmácia, vi minha tia lá dentro conversando com seu Canuto. Eles pareciam discutir. Parei pra ver. Subitamente, ele empurrou-a, levantou a mão para espancá-la e disse aos gritos: "Você anda saindo com homem, que eu sei, sua vadia!" Não foi nada premeditado, mas em um segundo, num salto, eu estava entre os dois: "Larga ela, é mentira, eu inventei tudo."

Saí correndo e nunca mais pude suportar o cheiro de éter. Aquela cena de violência me curou do vício. Nem muito mais tarde, nos bailes de Carnaval, eu cheirava lança-perfume, ao contrário de meus amigos, que encharcavam o lenço amarrado no pulso. Minto. Num baile, não resisti à insistência da turma e tomei uma prise. As lembranças de minha tia debaixo do "peludo nojento" me acometeram de forma tão intensa que fui carregado para o hospital. Os efeitos pareciam com os do éter: as perturbações visuais, o aumento da frequência cardíaca e uma forte descarga de adrenalina.

4. O coração da cidade

A avenida Amsterdam era larga, a mais larga da cidade. Devia ter uns 20 metros de largura. Cortava a cidade ao meio e era, por sua vez, cortada pelos dois trilhos da linha de ferro da Leopoldina Railway. A maior parte do comércio se concentrava ali, em sobrados. Embaixo ficavam as lojas e em cima as moradias. Quem viesse do Rio descia na Estação e em vinte minutos percorria a pé a avenida principal até a Praça Central, que funcionava como sua extensão, cercada por duas pistas de carro. Retangular, coberta de eucaliptos, era o coração da cidade, o Centro. Compunha-se de alamedas que obedeciam a uma divisão social. A mais larga era das empregadas domésticas e dos operários das fábricas. A "elite" usava uma paralela, onde fazia o *footing* domingo à noite. A mais estreita servia de leito para a linha de trem, que ali passava bem devagar, dando tempo para se subir nele, ficar um pouquinho e descer em seguida.

Os trilhos não cortavam apenas a cidade ao meio, mas também o orgulho daqueles floridenses que sonhavam com o progresso. Eles sentiam vergonha de ter que responder a um veranista de primeira viagem quando este lhes perguntava se a linha era de bonde. Como gostariam de poder dizer "sim, claro". Os jornais procuravam exaltar o lirismo que havia naquele velho meio de transporte, mas não adiantava. *Correio Serrano* escrevia: "O trem começa a entrar na Praça Central apitando, apitando, como que desejando acordar os seculares eucaliptos, guardas eternos das alamedas da mais bela e romântica praça do estado do Rio de Janeiro."

A não ser pelo exagero dos "seculares eucaliptos", numa cidade de cento e poucos anos, o mais era correto. Na romântica praça, muitos casamentos começaram. Ali se trocavam os primeiros olhares e sorrisos, os flertes; ali se marcavam furtivamente os encontros para cinemas e bailes, enquanto o rapaz passava pela moça a pé ou quando as bicicletas se emparelhavam. "Posso sentar a seu lado na matinê do Astória sábado?" "Posso tirar a senhorita para dançar no baile do Esporte Clube?"

A sociedade da época, e acho que não só a floridense, era impositiva e deixava pouca margem às opções e escolhas. Vigorava a ética do dever, não do desejo. Havia idade para casar, livros que não se podia ler, cores que combinavam ou não, hora para chegar em casa, interdição de gestos, palavras e, se fosse possível, de pensamentos. E havia lugar para namorar.

Foi assim que eu vi acontecer o primeiro encontro entre Cotinha e um rapaz alto, forte, que até então eu nunca tinha visto em Florida. Eu estava na calçada quando ela passou e me convidou para ir até a praça, onde pagaria meia hora de aluguel de bicicleta para mim. De vez em quando, ela me oferecia esse presente. Desde que minha tia me dera um gelo, me aproximei de minha prima mais velha. Procurava sempre estar a seu lado.

Fui correndo, entrei na loja do seu Januário, peguei depressa a mais nova bicicleta e saí dizendo: "Minha prima já tá vindo pra pagar o aluguel, é meia hora."

Quem era aquele sujeito forte?

5. "Oh, my Brazil!"

Douglas Kendery era um jovem policial nascido em Florida que estava de serviço no Cassino da Urca, no Rio, na noite em que se comemoravam os 59 anos do presidente Getúlio Vargas, a 19 de abril de 1942. A festa foi animada por um cineasta americano chamado Orson Welles, famoso por dois feitos que haviam abalado os Estados Unidos: um programa de rádio que simulava a invasão da Terra por marcianos e um filme considerado revolucionário, *Cidadão Kane*, lançado no ano anterior.

Embora não fosse dos quadros regulares da Polícia Especial, Douglas vinha sendo convocado para missões como essa, graças à proteção de Amadeu, um pistolão no gabinete de Getúlio e também, justiça seja feita, às suas próprias qualidades. Algumas delas o transformaram em herói (ou vilão?) dessa história: sua beleza, seu charme e seu fascínio, para não falar no temperamento explosivo.

Seu pai era um engenheiro inglês morador dos EUA, que há anos viera trabalhar na Leopoldina Railway. Aqui, se casara com uma bela mulata e conceberam dois raros exemplares dessa combinação de raças: Douglas e Tony, ambos louros, de olhos verdes, como o pai, e pele morena, como a mãe. Douglas era o mais velho e mais alto. Tinha mais de 1,80 de altura, ombros largos, uma irresistível simpatia e um jeito sedutor, um gentleman — pelo menos enquanto não bebesse. Falava um inglês fluente, sem sotaque, que aprendera com o pai desde criança. Foi lendo em casa no original os livros de Sherlock Holmes, de Conan Doyle, que Douglas decidiu ser investigador. Depois veremos como ele ficou famoso na polícia fluminense por ter desvendado um crime misterioso.

Por ora, o que interessa registrar é o seu sucesso na delicada missão na III Reunião dos Ministros das Relações Exteriores das Repúblicas Americanas, em janeiro, no Rio. Por isso, ele estava ali agora, ao lado de seu protetor, fazendo a segurança daquele espetáculo. Mais que trabalho, era um prêmio.

Amadeu, o pistolão de Douglas, personagem enigmático que vivia à sombra de Getúlio Vargas, tinha prestígio e poder junto ao chefe, talvez até por não chamar atenção — era discreto, apagado, quase invisível. A ele eram confiadas certas missões especiais, como a de preparar um esquema paralelo para reforçar a segurança dos participantes, durante os 13 dias de reuniões.

Ele soube, confidencialmente, que o chanceler Oswaldo Aranha comunicara ao embaixador americano temer um "golpe" de agentes do Eixo em meio à conferência. O governo britânico já havia informado à nossa embaixada em Londres que enviados nazistas à América do Sul estariam sendo financiados, através da Espanha e Portugal, para provocar desordens.

Imediatamente, a polícia brasileira resolveu aumentar a vigilância junto às comunidades alemã, italiana e japonesa. Por indicação de Amadeu, Douglas faria parte dessa força-tarefa capaz de garantir a integridade física do chanceler brasileiro. Melhor seria não agir como um guarda-costas. Ele teria que estar disposto a perder a vida, mas não a calma, e tudo sem despertar suspeitas. O ideal era que fosse confundido com um diplomata, de preferência membro da delegação americana. Não podia desviar os olhos de Oswaldo Aranha, de quem teria que ser quase tão inseparável quanto o cigarro que o chanceler só tirava da boca para falar.

— Mais do que o anjo da guarda do Ministro, quero que você seja o seu escudo — disse-lhe Amadeu.

Douglas levantou a cabeça, encarou o chefe, que se sentiu miúdo diante daquele homenzarrão, e garantiu:

— Pode confiar em mim.

O primeiro teste foi na chegada antecipada do subsecretário americano Summer Welles, a bordo do Yankee Clipper, o maior quadrimotor anfíbio do mundo. No dia 12 de janeiro, uma massa de entusiasmados manifestantes dando vivas ocupara o aeroporto Santos Dumont e se espalhara até o Museu Histórico, passando pelo edifício da Panair.

O subsecretário esperava levar do Brasil uma posição firme e solidária dos 22 países latino-americanos contra o Eixo, com quem os Estados Unidos estavam em guerra desde o ano anterior.

De costas para o chanceler, Douglas espreitava a multidão, buscando algum gesto suspeito. Fotógrafos reclamavam aos gritos, mandando que ele saísse da frente. Inutilmente. Foi assim até o carro que levou as duas autoridades para o hotel Copacabana Palace. Por fim, ainda pegou carona no cortejo oficial. Um segurança brasileiro quis barrar-lhe a entrada no carro aberto, já em movimento, mas Douglas não lhe deu atenção: "I am in Mr. Welle's party." (Por via das dúvidas, trazia consigo as duas credenciais falsas que Amadeu lhe arranjara: uma como diplomata americano e outra como membro do gabinete do governo brasileiro.) No dia seguinte, em algumas fotos, ele podia ser confundido com um elegante diplomata americano.

Naquelas duas semanas, a pressão diplomática do Eixo chegou ao máximo. Embaixadores e enviados dos governos alemão, japonês e italiano combinaram uma ação conjunta de ameaça e chantagem sobre Vargas, Aranha e sobre os ministros que, por medo ou simpatia, se mantinham hesitantes: Filinto Müller, Eurico Gaspar Dutra, Góis Monteiro. O general Dutra, ministro da Guerra, era favorável ao Eixo e, por ele, o Brasil teria declarado guerra à Inglaterra em 1940. Francisco Campos, ministro da Justiça, publicara livro elogiando Hitler. O general Góis, por sua vez, se opunha ao rompimento com a Alemanha e a Itália.

Provavelmente sabedor dessa divisão, o embaixador nipônico Itaro Ishii chegou ao cúmulo de deixar no Itamaraty uma nota para o nosso ditador, anunciando que em breve o Japão destruiria o que restava da frota americana no Pacífico. Desse modo, ele insinuava, uma ruptura de relações dos países latino-americanos com o Eixo significaria um passo em direção à derrota.

Essas pressões de um lado e, do outro, a resistência da Argentina e do Chile, que não queriam rompimento imediato e nem de todas as relações — comerciais, diplomáticas, militares, políticas —, dificultaram muito o trabalho de Oswaldo Aranha, mas acabaram por transformá-lo no herói da conferência pan-americana. Aquela vitória coroava dois anos de esforços e negociações. Estava exausto, mas feliz. Finalmente, iria "tornar a solidariedade do Hemisfério uma realidade", como desejava o presidente Roosevelt na carta que Welles lhe trouxera.

Douglas se sentia vitorioso também. Nunca trabalhara tanto na vida. Permaneceu de pé durante praticamente todas as sessões sem tirar os olhos do ministro. Queixa mesmo só contra o calor, que realmente estava insuportável. Os ventiladores espalhados pelo salão eram insuficientes, sobretudo na noite de encerramento, com aqueles flashes e luzes dos fotógrafos e cinegrafistas. O embaixador britânico tinha razão: "Isso aqui está parecendo um estúdio de Hollywood."

Ainda bem que tudo terminaria dali a pouco. Como o calor o obrigava a trocar de terno quase todo dia, e ele não tivera tempo de mandar a roupa para a lavanderia, restavam apenas uns dois ou três limpos. Vaidoso, Douglas se vestia com esmero. Como Getúlio Vargas e Oswaldo Aranha, ele gostava de branco. No verão, só usava terno de linho S-120. Tinha uma coleção, todos feitos sob encomenda. O dinheiro para essa e outras extravagâncias vinha de duas fontes — jogo e mulheres — sendo que esta última era a mais rentável.

Olhou discretamente o seu moderno relógio de pulso e viu que já eram oito horas. O calor agravava a expectativa e a tensão. Oswaldo Aranha começou a discursar. "O Brasil, meus senhores, em toda a sua História sempre teve como decisivo o valor de sua palavra", disse, tendo que fazer uma pausa por causa dos aplausos. Em seguida, explicou que a neutralidade adotada pelo país até então fora "exemplar", mas que a solidariedade com as outras nações americanas agora falava mais alto.

"Esta é a razão pela qual hoje, às dezoito horas, de ordem do Senhor Presidente da República, os embaixadores do Brasil em Berlim e Tóquio e o Encarregado dos Negócios do Brasil em Roma passaram nota aos governos junto aos quais estão acreditados, comunicando que, em virtude das recomendações da III Reunião dos Ministros das Relações Exteriores das Repúblicas Americanas, o Brasil rompe suas relações diplomáticas e comerciais com a Alemanha, a Itália e o Japão."

A emoção tomou conta da plateia. Os delegados começaram a aplaudir sentados, logo se puseram de pé, depois foram se deslocando em direção ao orador. Todos queriam abraçá-lo, apertar-lhe a mão. O primeiro a chegar junto a ele foi Douglas. Continuava atento, mas o sentimento que o dominava era de que vivera um momento histórico.

Enquanto esperavam o show do Cassino da Urca começar, Amadeu falou a seu protegido:

— Se você tiver cabeça, terá um belo futuro pela frente, rapaz — disse.

— Por que o senhor diz isso?

— Porque, se os aliados ganharem a guerra, o mundo será dos americanos. Aliás, a invasão já começou. Coca-cola, *Seleções do Reader's Digest*, sorvetes da Kibon, *chiclets*, são apenas alguns sinais. Com essa pose de gringo e falando o inglês que você fala, vai conseguir um bom lugar nesse mundo. Se tiver juízo, repito.

Os dois haviam se tornado amigos. Inteligente e ambicioso, Douglas sabia que tinha muito o que aprender com o "mestre". A ele passou a dedicar não só admiração, mas uma quase veneração.

De repente, apagaram-se as luzes e surgiu no palco, de casaca branca, o chefe de cerimônia: "This is Orson Welles, speaking from South America, from Rio de Janeiro, in United States of Brazil", apresentou-se.

— Quem é esse Welles, é parente do subsecretário? — Perguntou Douglas, baixinho.

— Não, esse é o Orson, um beberrão. Mas dizem que é um gênio do cinema.

— Que coincidência ter dois Welles ao mesmo tempo no Brasil.

— Esse aí veio para fazer um filme, mas até agora o que fez foi beber.

Alguém do lado fez "psiu" e pôde-se então ouvir Orson Welles chamar Getúlio de "grande e bom amigo do presidente Roosevelt", anunciando em seguida que aquele show estava sendo transmitido pela maioria das estações de rádio do Brasil e por mais de cem emissoras norte-americanas.

Se alguém tivesse dúvidas das razões que haviam trazido o diretor de *Cidadão Kane* ao Brasil, não teria mais depois dessa noite. Embora advertindo que a festa não era oficial — "I am not speaking for the government" —, Welles atuou como um eficiente embaixador da Política de Boa Vizinhança de Roosevelt. "Vendeu" para os EUA um Brasil alegre, feliz, que gostava de cantar e de dançar e que, patriótico, estava disposto a cerrar fileiras com a América para derrotar as forças do mal. "Oh, my Brazil!", suspirava de vez em quando.

Como se fosse César de Alencar no auditório da Rádio Nacional, Orson Welles animava a plateia, pronunciava palavras em português ("tudo é Brasil"), não poupava elogios ao ditador Vargas e confraternizava com os artistas convidados. Passaram pelo palco Grande Otelo, Jararaca e Ratinho, Emilinha Borba, a orquestra de Carlos Machado tocando *Amélia* e, encerrando o show *Sinfonia do Brasil*, Linda Batista cantando uma canção guerreira, anunciada por ela em inglês, "We know how to fight", e em português pelo animador, "Sabemos lutar".

Depois da apoteose cívica, com o público arrebatado acompanhando Linda ("Mas se há gente/ Que vier nos desrespeitar/ Nós mostraremos que sabemos lutar"), o embaixador americano Jefferson Caffery, idealizador da homenagem, discursou exaltando a solidariedade do Brasil e agradecendo a Getúlio em nome de seu "great and good friend", o presidente Roosevelt.

Naquela noite, Amadeu ficou devendo a Douglas uma explicação: como um ditador há 12 anos no poder sem eleição, e cujo governo prendia e torturava presos políticos, podia ser amigo tão querido de um presidente que acabara de se submeter com êxito a um terceiro sufrágio popular e que lutava tanto para defender a democracia no mundo?

6. O *flirt*

Amadeu foi o primeiro a chegar à praça. Era um homem magro, altura mediana, cujos cabelos com alguns fios brancos, lisos e repartidos ao meio, lhe davam o ar de um senhor de 50 anos. Elegante, parecia vestido para ir ao Palácio do Catete, onde trabalhava, e não para um passeio matinal numa cidade como Florida, sem essas formalidades. Além do terno escuro de lã, um colete fechado por botões protegia-o do frio extemporâneo daquela manhã.

Procurou um banco onde havia um pouco mais de sol, sentou-se e cruzou as pernas, deixando ver as finas meias de fio de escócia, esticadas e presas a uma liga elástica por uma presilha com colchete. Em lugar da gravata, usava um *foulard* de seda. Tempos mais tarde, ao conhecê-lo, Leninha comentou com a irmã: "Ih, Cotinha, não sei não, mas esse velho..." e deixou no ar uma suspeita que se baseava mais nas roupas elegantes e incomuns do que nos gestos contidos de um gentleman já no terceiro casamento, sem falar nos casos extraconjugais.

Sempre que vinha à cidade, gostava de ficar ali de manhã apreciando o movimento. De onde estava podia ver tudo. No banco ao lado, um velhinho de cachecol enrolado no pescoço cochilava. Na alameda de lá, uma jovem mãe empurrava o carrinho com um bebê agasalhado. No canteiro em frente, crianças barulhentas brincavam, fazendo uma algazarra que o divertia. De repente, uma bola sem direção caiu no seu colo, assustando-o e sujando de poeira o seu colete. Ele tirou o lenço do bolso de cima do paletó, limpou o pó e, sem esconder uma ligeira irritação, devolveu a bola e pediu que as crianças fossem brincar na outra alameda.

Por algum tempo, o homem de *foulard* ficou observando o lixeiro que recolhia displicentemente as folhas caídas, espetando-as com uma haste pontiaguda e colocando-as num saco às costas. Parecia se divertir com o trabalho.

Amadeu achava que, quando se aposentasse, poderia vir morar em Florida. Ele não conhecia cidade mais tranquila. Ele costumava vir a Florida no verão desde a década passada, quando se tornara amigo de Artur, na casa de quem se hospedava. Um pouco mais velho, Artur era o maior amigo de Douglas, companheiro inseparável de memoráveis farras. Boêmios inveterados, os dois eram populares na zona de dona Edith. Quando Noel Rosa esteve em Friburgo, em 1936, e deu uma escapada até Florida, eles foram seus cicerones na noite floridense. Passados seis anos, as pessoas ainda se lembravam das serenatas (e confusões) que aprontaram.

Dessa vez, a sugestão de que viesse descansar respirando os ares da serra foi de Douglas, e ele aceitou logo, para fugir da estafa e do calor, que estava de rachar no Rio.

Como era bom estar longe das intrigas palacianas e da hipocrisia cortesã, mesmo sabendo que daí a dois ou três dias estaria sentindo falta do que agora desprezava. Até o ar ia parecer puro demais. Será que conseguiria viver longe da agitação do Distrito Federal? Duvidava muito.

Douglas chegou de bicicleta, vestindo um blusão de couro e usando óculos ray-ban, as duas novidades que trouxera do Rio. Nunca ninguém exibira esses luxos na cidade. Parecia um piloto da aviação americana, daqueles que se viam no cinema.

— Com esses óculos e esse blusão, você está parecendo um astro de Hollywood.

— Um amigo me deu.

Os dois riram. Na verdade, o presente não custara nada a Amadeu. Sua posição no governo lhe permitia livre trânsito na Alfândega, onde costumava ir sempre que havia um navio ancorado no cais da Praça Mauá. Tinha acesso às mercadorias apreendidas antes que fossem a leilão.

Naqueles estoques contrabandeados, havia sempre, além de cigarros americanos e uísque escocês, rádios, vitrolas, tecidos e roupas da moda, como o belo blusão que dera de presente a Douglas como prêmio pelo desempenho na conferência dos chanceleres.

A referência ao "astro de Hollywood" deixou Douglas vaidoso, principalmente porque havia quem o comparasse a Robert Taylor, o galã que ele procurava imitar nas poses e no penteado. Ele se sentia em casa em Florida. Seu pai, ao chegar dos Estados Unidos, vivera algum tempo no Rio, depois se mudara para Florida e finalmente fixara residência em Niterói, já então separado da mulher. Deixara um sítio em Cachoeira, um distrito da cidade, que era usado eventualmente pela mãe ou pelos irmãos Douglas e Tony. De noite ou nos dias de chuva, ele se locomovia em carro de aluguel, mas numa manhã ensolarada como aquela preferia a bicicleta. Era um modelo chique, de quadro alto, aros brilhantes e selim forrado de couro.

— Dr. Amadeu, olha a "mignon" que vem aí — disse, enquanto encostava a bicicleta no banco.

Ela veio vindo de cabeça baixa e, um pouco antes de passar pelos dois, levantou rapidamente os olhos. Quando se sentiu notada, enrubesceu, desviou o olhar e abaixou de novo a cabeça.

— No meu tempo isso se chamava *flirt* — brincou Amadeu, logo depois que ela passou.

— Ela não é muito nova para você, não? Essa tem jeito de ser chave de cadeia, é moça pra casar.

Douglas, que já a conhecia de vista, não quis deixar passar a oportunidade.

— Espera um instante, dr. Amadeu, que já volto.

Com seu espírito impetuoso, Douglas não quis perder a oportunidade. Montou na bicicleta, pegou a outra alameda, pedalou na direção em que ia Cotinha e fez a volta, de modo a encontrá-la de frente. Quando se cruzaram, ele diminuiu a velocidade e perguntou delicadamente: "Posso encontrar a senhorita na matinê de domingo no Astória?" Ela tremeu de susto e de emoção. Mas teve a coragem de balançar a cabeça discretamente em sinal de concordância.

Amadeu viu de longe a cena, mas não fez comentário. Bem mais velho, experiente, poderoso e influente, ele começava a se sentir meio responsável por esse discípulo. Estava disposto a ajudá-lo. Quem sabe ele não se transformaria num arguto agente nesses tempos de intriga e espionagem? Talvez visse no jovem esperto e talentoso um pouco do filho adolescente que perdera num acidente de carro. Amadeu não desconhecia, porém, a inclinação dele para o jogo, as mulheres e a bebida.

7. "O senhor é tarado?"

Acompanhei Cotinha até a divisa entre a Praça Central e a avenida Amsterdam, rindo dos sustos que lhe pregava ao tirar um fino, frear em cima e largar as duas mãos do guidom. "Para com isso, menino", ela gritava, fingindo mais medo do que de fato sentia.

Quando voltei e passei pelo banco onde estavam os homens, Douglas me chamou. Eu ainda não o conhecia:

— Você é sobrinho daquela moça bonita?, perguntou, segurando a bicicleta para eu me equilibrar enquanto conversávamos.

— Não.

— É o quê?

— Primo.

— Qual é o nome dela mesmo?

— Cotinha.

— Você leva pra ela um recado meu?

Não respondi. Minha hesitação fez o amigo de Douglas entrar na conversa tentando me agradar.

— Menino esperto! Qual o seu nome?

— Manuéu.

Em seguida disse quantos anos tinha, ele me achou alto para a idade, mas "um pouco magro", e perguntou o que eu queria ser quando crescesse.

— Médico — respondi sem vacilar.

— Ótimo, mas vai ter que estudar muito e comer muito angu.

Só então me ocorreu perguntar-lhe:

— O senhor é tarado?

Ele amarrou a cara. A pergunta, no entanto, fazia sentido. Aparecera na cidade um homem abusando ou tentando abusar sexualmente de crianças. Quando ouvi tia Celeste contar a novidade pra tia Nonoca, fiquei mais curioso em saber o que era "tarado" do que o que era "abusar".

— Não interessa saber o que é tarado — cortou minha tia. — O importante é você saber que não pode falar com estranho e nem aceitar presente: balas, *chiclets*, pipoca, nada. Se algum chegar perto, sai correndo.

E agora estava eu ali conversando com dois desconhecidos.

— Que história é essa de tarado, ô rapazinho? Quem falou isso?

Ele me puxou pelo pulso, quase apertando. Mudara de voz repentinamente.

— Minha tia — respondi com medo.

— Sua tia disse isso de mim? Quem é sua tia? — Ele levantou a voz.

Nesse momento, Douglas intercedeu, pois também ouvira a história do pedófilo. Imaginou que as pessoas, por precaução, estivessem advertindo as crianças para que tomassem cuidado com os desconhecidos. Nada tinha a ver, evidentemente, com o dr. Amadeu.

Desfeito o mal-entendido, Douglas voltou a insistir para que eu levasse o recado.

— Só se eu puder dar uma volta na sua bicicleta.

Eu nunca vira um modelo tão moderno. O quadro era alto, o pneu, balão, os aros de um cromado tão brilhante que chegavam a faiscar quando giravam, e o selim era forrado de couro com o escudo do Flamengo, meu time. Tinha até campainha. Trocaria um passeio de automóvel, coisa que tinha feito só duas vezes na vida, por uma volta naquela bicicleta. Já me imaginava soltando as mãos, abrindo os braços e voando como aqueles caças dos aliados que tinha visto na revista *O Cruzeiro*.

— Ela é muito alta pra você — disse Douglas —, mas vamos tentar.

Me colocou sentado e disse que ia dar um empurrão.

— Segura, vamos lá.

A bicicleta ganhou logo velocidade e eu senti o mesmo medo de quando andei a cavalo na fazenda e caí, machucando o braço. A altura parecia igual. O pior era que meus pés não alcançavam os pedais, que rodavam, passavam e eu não conseguia detê-los. Quando percebi que o impulso inicial estava perdendo a força e que eu ia levar um baita tombo, encostei num banco e apoiei o pé. Desistia. Para quem pretendia voar como um avião, era um fracasso retumbante. Voltei frustrado, empurrando o belo e poderoso veículo, mas imprestável para mim.

— Não adiantou nada — cheguei resmungando. — Não consegui ir até o final da praça e ainda perdi o tempo do aluguel.

— Não vai perder, não — me consolou Douglas. — Eu pago mais 15 minutos pra você.

Quando entreguei de volta a bicicleta, com os 15 minutos a mais, minha prima havia deixado um recado para que eu fosse para casa pela calçada e que tomasse cuidado ao atravessar a rua. Chegando, chamei-a num canto e, definitivamente subornado pelos dois, dei o recado como Douglas recomendara:

— Ele disse que te espera na quarta fileira à esquerda de quem entra, contando de trás para a frente.

Cotinha sorriu sem precisar dizer o quanto estava feliz. Se fosse na última ou penúltima fila, significava que ele não estava com boas intenções. Seria apenas para se aproveitar dela.

8. O método dedutivo

Douglas continuava sentado na praça, satisfeito, e só voltou a si quando o amigo comentou, esfregando as mãos:

— Que frio maluco é esse em janeiro? Parece inverno!

Habituado com as variações e nuances do clima local, Douglas deu esperança ao amigo.

— Isso passa, é uma onda.

Era um dos momentos mais marcantes das manhãs frias de Florida, quando ensolaradas. Assistia-se à batalha do sol contra a neblina. Este tentava rompê-la à custa de calor e energia, mas ela formava uma barreira suspensa que resistia bravamente. Na verdade, o sol não rompia, apenas infiltrava seus raios pela névoa e depois pelas folhas dos eucaliptos, chegando lá embaixo mais como luz do que como calor. Quando uma aragem sacudiu levemente a folhagem, projetou-se sobre o rosto dos dois homens sentados no banco um bailado irreal de claridade e sombra.

* * *

Amadeu ainda se lembrava de como tinha ficado impressionado quando tomou conhecimento da astúcia de Douglas como investigador. Ele ficara famoso na polícia fluminense por ter livrado da prisão o acusado de um crime ocorrido cinco anos antes. Sensibilizado pela insistência com que o suposto criminoso alegava inocência, Douglas resolveu consultar no Fórum de Florida os autos do julgamento. Descobriu então que o réu havia sido condenado com base no depoimento de uma testemunha que afirmara ter visto o criminoso saindo da cena logo depois do crime. Com mínimos detalhes, descrevia fisicamente o suspeito.

De posse da identidade da testemunha, Douglas procurou aproximar-se dele, o que não foi difícil, pois se tratava de uma figura desfrutável, que gostava de aparecer. Um dia, sentado a seu lado na praça, Douglas puxou conversa e acabou convidando-o a ir a uma das sessões noturnas que Pepe promovia depois que fechava a Favorita. Foi a várias e, numa delas, Douglas resolveu aplicar um teste que preparara com antecedência, montando uma cena que reproduzia as condições da noite do crime: serração baixa e pouca iluminação.

Quando avistaram um vulto se aproximando, Douglas exclamou: "Olha quem vem vindo aí!" Imediatamente, a testemunha saudou o já agora seu íntimo: "Salve, Pepe!" Pepe se atrasara, mas não era ele, era um servidor da Delegacia que o investigador trouxera para a encenação.

Ficou evidente que a testemunha não podia reconhecer com precisão alguém àquela distância em meio à neblina. Portanto, a base para a condenação era frágil e insustentável.

Mais tarde, quando o julgamento foi afinal anulado, Douglas deu uma entrevista ao *Correio Serrano*, afirmando que usara o "método dedutivo", aprendido com seu "mestre" Sherlock Holmes. Como o repórter fez cara de não saber de quem e de que se tratava, Douglas explicou que era uma técnica que usava o raciocínio científico e a dedução. Aproveitou para exibir seus conhecimentos adquiridos na leitura de sir Arthur Conan Doyle, da biblioteca de seu pai.

Poucos leitores talvez conhecessem o autor inglês, mas o nome impressionava e assim a entrevista serviu para espalhar pela região a fama de Douglas como gênio da investigação.

Quando em uma de suas visitas a Florida soube do episódio, o dr. Amadeu quis conhecer o autor da proeza. Começava aí uma longa amizade.

— Você se deu conta de que participou de um acontecimento histórico? Perguntou dr. Amadeu, ajeitando-se no banco da praça e voltando ao tema da reunião dos chanceleres. Douglas respondeu com uma certa ironia, achando que o amigo estava querendo reconhecimento.

— Claro que sim, graças ao senhor.

— Não disse isso para receber agradecimentos — cortou secamente, enquanto cruzava as pernas e se punha meio de lado para melhor conversar. — O que eu quero é que você saiba que ali se decidiu o destino do mundo livre. Pela primeira vez um continente se uniu para uma ação comum em defesa da liberdade.

— Isso eu entendi, dr. Amadeu — disse Douglas, exagerando sua capacidade de compreensão. — Só não entendi porque foi tão difícil conseguir essa união.

Embora sem perceber as sutilezas políticas e diplomáticas do que se discutia no Palácio Tiradentes, o investigador notara o estado de ansiedade em que às vezes se encontrava o ministro Oswaldo Aranha.

— Foi difícil porque o dr. Getúlio e o ministro Aranha tiveram que unir primeiro o próprio governo.

— O sr. acha que o presidente Vargas queria mesmo romper com os alemães?

O fiel colaborador do ditador não gostou da dúvida.

— Claro que sim. Um dia o Brasil vai descobrir a grandeza e a sabedoria do dr. Getúlio.

Meio desanimado de explicar um quadro tão complexo a um jovem ignorante dos mistérios da política, Amadeu levantou-se, respirou fundo aquele ar leve e fresco, e convidou o companheiro a andarem um pouco. Foram caminhando devagar pela alameda principal da praça em direção à igreja matriz, depois voltaram.

— Onde se toma um bom café por aqui?

Douglas conhecia o lugar ideal.

9. O don Juan

A Leiteria e Sorveteria Favorita, além de fabricar o mais saboroso sorvete e servir o melhor café da cidade, funcionava como uma central de notícias. Quem quisesse tomar conhecimento do que ocorria na cidade tinha que se sentar ali, onde se comentava o que acontecia e o que não acontecia, pois se cuidava também da difusão de rumores e boatos sem fundamento.

Ainda havia uma mesa vazia. As outras sete ou oito estavam ocupadas pelos clientes habituais e por alguns veranistas. Amadeu e Douglas sentaram-se e Pepe apareceu logo para servi-los. Ele era o mais velho dos cinco filhos do dono, seu Gutiérrez, um espanhol que chegara a Florida havia algumas décadas. Por razões óbvias, Pepe era chamado de Repórter Esso, o "primeiro a dar as últimas".

— Dois cafés, Pepe, e a novidade da semana — pediu Douglas, rindo e apresentando-o ao amigo: — Essa é a língua mais ferina da serra.

— Você estava sumido. Por onde andou? — Pepe quis saber logo. Ele vivia de troca. Gostava de dar, mas também de receber informações.

— Eu estava no Rio, trabalhando.

— Trabalhando? — Surpreendeu-se Pepe.

Ele achou que, se verdadeira, essa era uma grande novidade: Douglas trabalhando!

— Trabalhando em quê?

Como daí a pouco essa informação estaria correndo a cidade, Douglas não quis alimentar a curiosidade do "Repórter Esso".

— Depois a gente conversa sobre isso. Eu quero saber é qual foi o escândalo enquanto estive fora?

Pepe inclinou-se e disse baixinho no ouvido de Douglas:

— Ele está bem atrás de você, tomando café. Disfarça e olha.

Douglas viu então sentado um sujeito que conhecia de vista, porque frequentava o Cassino da cidade, e de fama, porque diziam que sua especialidade era a conquista de senhoras casadas.

— Ele está esperando o dr. Elias passar do almoço. Pelo menos duas vezes por semana faz isso — informou Pepe.

— Pra que ele fica esperando?

— Ora, para fazer a sesta com a mulher do doutor — disse Pepe em meio a uma gargalhada.

— E ela é bonita?

— Além de ser muito mais nova do que o marido, é uma das mulheres mais bonitas da cidade.

Douglas notou que Amadeu já estava ficando contrariado com aquela conversa que mais parecia fuxico de comadres.

— Desculpe, doutor Amadeu, eu o interrompi. O senhor falava...

— Falava de interesses americanos e brasileiros, mas você parece interessado em outro assunto.

— Não, por favor, dr. Amadeu, continue.

— Eu dizia que até outro dia os Estados Unidos ainda se mantinham neutros. Dizem mesmo que Roosevelt sabia de antemão do ataque japonês a Pearl Harbor, mas não tomou providências porque queria a opinião pública indignada, pedindo a entrada do país na guerra. O fato é que foi preciso acontecer o "dia da infâmia", como ele classificou o 7 de dezembro de 41, para que seu país abandonasse a neutralidade.

— Pelo que leio nos jornais, todos os americanos, a começar por meu pai, naturalizado, querem ir para a frente de batalha derrotar o Eixo.

— Não é bem assim. Se fosse, metade do Congresso americano não se oporia à entrada do país na guerra. Além disso, a Texaco, a Standard Oil, a ITT têm negócios com os alemães.

— Mas negócio é negócio...

— Sim, mas além dos negócios, eles colaboram, são simpatizantes. Um sujeito como esse Henry Ford é um antissemita furioso. O presidente da Shell, um tal Henri Deterding, é um nazista descarado.

— Mas o governo brasileiro também andava fazendo negócio com a Alemanha.

— Como todo mundo. Mas fazia negócio, acordo comercial, não acordo militar. Você sabe quantos alemães tem no Brasil?

— Não tenho a menor ideia.

— Quase um milhão só no sul. O país está cheio de espiões fantasiados de "turistas".

Amadeu abaixou a voz, olhou em volta e acrescentou:

— Aqui mesmo em Florida deve ter muitos quinta-colunas entre os alemães que vieram de Friburgo para cá.

Nesse momento, Pepe aproximou-se da mesa, agitado.

— Olha o corno manso passando.

Até o dr. Amadeu se interessou em ver o senhor grisalho, de meia-idade, que passava na calçada em frente.

Na mesa de trás, atento, o sujeito de bigodinho fino e cabelo bezuntado de brilhantina também viu o que eles viram. Tomou o último gole de café, segurando a xícara com o polegar e o indicador. No dedo mindinho levantado, uma enorme unha, que deixava crescer de propósito, achando com certeza chique. Então levantou-se, jogou uns trocados sobre a mesa e saiu. Vestido com um terno de tropical azul-marinho, modelo jaquetão, parecia uma caricatura de don Juan.

Pepe convidou os dois a irem com ele até a porta. Chegaram a tempo de olhar para a direita e ver o don Juan entrar na rua Monsenhor Aguiar, transversal à praça. Ali morava a bela adúltera.

— Daqui a pouco ele volta como se nada tivesse acontecido e parte para outra conquista. Quando não está no Cassino jogando, está conquistando mulher casada.

10. A zona

A maneira que Douglas encontrou de retribuir ao seu mais novo amigo a revelação de um mundo que lhe era inteiramente desconhecido, e que ele apenas entrevira durante a III Conferência dos Chanceleres, foi convidá-lo para uma excursão à noite na Vila Alegre. Os filmes do Alvorada e do Astória não eram bons; o Cassino seria a melhor opção, mas o dr. Amadeu não gostava de jogar. Só restava mesmo a zona do meretrício, o território que ele dominava tanto quando Amadeu dominava a política. Ali o mestre era ele.

Quando os dois chegaram à casa de dona Edith, ela veio recebê-los com uma amável recriminação. "Por que não avisou que vinha, seu sem vergonha?" Douglas fez uma reverência, beijou-lhe as mãos e apresentou o visitante. "Esse aqui, Tia Edith" — era assim que demonstrava seu respeito pela velha cafetina — "é meu guia e meu mestre. Trate-o como a senhora nunca me tratou, como a um rei".

Entraram na sala, chamada com exagero de "salão", e as oito mesas estavam ocupadas pelas moças e seus fregueses. Dali saía um corredor com três portas de cada lado dando para os seis quartos. Neles, grande parte da juventude floridense, pelo menos os que podiam pagar, realizava o seu ritual de iniciação sexual. Como eram de uso compartilhado, à medida que iam desocupando, passavam a ser ocupados por quem estava na frente. Nas noites de sexta e sábado, as de maior movimento, a fila de espera no corredor era grande, o que obrigava a uma agilização dos trabalhos. Como havia mais mulheres do que quartos, Juju, misto de garçom, gerente e confidente das moças, de vez em quando batia numa porta fazendo graça: "O seu tempo já acabou, meu bem! Se quiser gozar de novo tem que pagar duas vezes."

Foi a ele que a dona da casa fez um sinal quase imperceptível mandando liberar a mesa maior. Três homens e duas mulheres se levantaram rapidamente e se dirigiram para o canto onde ficava a vitrola. Dona Edith veio então acomodá-los e aproveitou para se sentar entre Amadeu e Douglas, numa deferência a que poucos tinham direito. Sentar na mesa com dona Edith era sinal de prestígio até para autoridades e figurões da cidade. Dificilmente um clube em Florida possuía um código de conduta tão rígido quanto o que vigorava ali. Nada de saliências no salão — nem palavrão, nem atitudes indecentes.

As eventuais confusões eram provocadas pela polícia ou pelos hóspedes do Hospital, os agatês. Ela exigia respeito dizendo que aquela era "uma casa de família", e não havia qualquer cinismo na afirmação, já que a dois passos, em frente, era a sua residência. Ali ela morava com seus filhos, duas moças e um rapaz, que frequentavam os melhores colégios e tinham comportamento exemplar. Cheguei a estudar com ele no primeiro ano do secundário e pude testemunhar a maldade de alguns colegas durante desentendimentos ou brigas. Sem precisar completar a frase, cantarolavam improvisando uma melodia: "filho da..., filho da..." Nessas horas ele, de natureza alegre e extrovertida, se refugiava no banheiro. Um dia, flagrei-o ali lavando os olhos, mas não contei pra ninguém. Foi quando nos tornamos amigos.

Protegido de dona Edith, Douglas era o único a infringir as regras da casa, e isso não impedia que fosse tratado como alguém da família, um sobrinho mesmo. "Esse aqui, dr. Amadeu, me dá muito trabalho", ela começou, mal disfarçando o orgulho dos feitos que ia contar. Como eram muitos, preferiu deter-se no mais famoso. Tudo começou com o "pequeno incidente" em que Douglas arremessou um forasteiro pela janela só porque ele ousara tirar Isa, sua preferida, para dançar quando em sua companhia.

Antes de continuar, dona Edith chamou Juju com o dedo e mandou que abaixasse um pouco o som da vitrola e pusesse um disco de Dalva de Oliveira. Ele revirou os olhos, fez um muxoxo de desagrado e segredou alguma coisa no ouvido dela. "Tá bem, depois põe o Cauby, mas agora traz o uísque, o importado, hein!" Só então ela prosseguiu o relato, lembrando a célebre briga com uma patrulha de uma cidade vizinha, em que Douglas derrubou um por um 12 soldados que tentavam ir à forra do companheiro de farda atirado janela afora dias antes.

"Vocês precisavam ver. Depois de apanharem muito, os 12 fizeram uma roda e começaram a espancar esse aqui com cassetete."

Dona Edith entusiasmou-se, elevou a voz e o seu relato ganhou tons épicos. A sala parou para ouvi-la. Algumas daquelas prostitutas se lembravam da arruaça e balançavam a cabeça concordando com o que ouviam. "Ele reagia e eles batiam. Com a cabeça aberta pelos golpes, o sangue jorrando, Douglas resistia sem cair." Foi preciso ela entrar na roda para impedir que o matassem. Ela também se feriu, mas conseguiu despachar a patrulha e levar seu protegido para o hospital, onde lhe deram vários pontos na cabeça e no rosto.

"Abaixa aqui", ela ordenou, pegando a cabeça de Douglas e mostrando a cicatriz na testa, do lado direito. "Olha a marca, passa a mão." Com uma certa má vontade, dr. Amadeu deixou que a cafetina conduzisse seu dedo até a cabeça do amigo. Ele parecia impaciente para que terminasse aquela busca de vestígios de violência que visivelmente não o agradava. A cafetina apressou-se então em fazer um balanço das baixas do outro lado: "Um com o nariz quebrado, outro sem três dentes e um terceiro com o olho fechado por um soco." De uma maneira ou de outra sobrara para todos.

Douglas não era só largo de ombros e de peito. Seu corpo tinha também a espessura e a solidez de um bloco de pedra. Ocupava no espaço um volume que assustava quando passava a ser movido a álcool.

A exemplo das colegas de profissão, Isa escondia a idade e certamente era mais velha do que aparentava, com aquela cara de menina, a pele clara e os braços finos. Seu tipo violão tão em moda, sua beleza, experiência e sua classe faziam dela a mais cobiçada da zona. Dizia que era de São Paulo e que se casara muito cedo com um poderoso empresário já idoso, de quem herdara o sobrenome italiano. Não revelava, estimulando as especulações, quem seria. Um dia resolveu abandoná-lo e cair na vida. Ela tinha a vocação do ofício, e começara ainda muito nova. Na cama, era uma profissional de primeira, o que não queria dizer que atendesse a qualquer vontade do cliente. Como quase todas ali, com exceção de Magdala, que não tinha restrições (mas essa era uma depravada), Isa não admitia avanço aos territórios que sua moral interditava.

Em compensação, na região de livre trânsito o seu desempenho levava a sua seleta clientela ao paraíso. E para isso não precisava de variações. Nenhum desvio, nenhuma perversão. "Nem um beijinho na boca, Isa?" "De jeito nenhum."

Num lugar tão frequentado por agatês, a precaução se justificava. Mas ela fazia questão de recorrer a razões morais: "Mulher da vida que beija freguês na boca não presta." Ficou conhecido o incidente com uma autoridade local expulsa do quarto por Isa ao propor, oferecendo um pagamento extra, uma forma menos ortodoxa de fazer sexo. "Ponha-se daqui pra fora, seu tarado! Ali atrás nem a mão você coloca."

Ainda bem jovem, Douglas iniciou sua vida sexual com Isa, de quem se tornou cafetão. Ele era o único com o qual, pelos códigos vigentes, ela se permitia ter prazer, ou melhor, o único que conseguia lhe dar prazer. Quando ele aparecia, ela não trabalhava. Ainda mais naquela noite, em que levava consigo um ilustre visitante. Por cortesia, ele "ofereceu" a amante ao seu convidado, mas este recusou polidamente. Preferiu ficar conversando com a mulher. Em pouco tempo descobriram que tinham alguns conhecidos em comum. Ao deixar São Paulo, ela morou inicialmente em Florida, onde conheceu Douglas. Poucos anos depois se instalara numa famosa casa de tolerância no Rio de Janeiro, na rua Alice, perto do Palácio do Catete, onde logo fez sucesso. Passou a ser a favorita dos clientes palacianos que frequentavam o lugar, alguns, por coincidência, colegas de Amadeu.

A revelação surpreendente, porém, foi a de que numa certa noite ela teria ido ao Palácio presidencial levada por um homem de confiança do próprio Getúlio Vargas. Amadeu não disse nada, mas não acreditou na história, atribuindo-a ao repertório de lendas e invenções que toda prostituta coleciona. Devia ser mais uma daquelas "amantes" que o povo vivia arranjando para o presidente: Virgínia Lane, Aimée, Linda Batista...

Entretanto, ao saírem caminhando em direção à praça, Amadeu confessou que ficara impressionado com os detalhes do palácio descritos por Isa: os corredores por onde ela teria passado, os móveis, a cama presidencial onde teria feito sexo e até a pessoa que a teria levado. Enrolou o cachecol no pescoço, enfiou as mãos nos bolsos, reclamou da garoa e disse que, em meio àquela neblina, estava se sentindo em Londres.

— Amanhã, Douglas, vamos comprar um chapéu pra mim.

Depois ficou em silêncio. A conversa com Isa o deixara pensativo. No ponto de táxis próximo à entrada da Vila, pediu que Douglas lhe desse uma carona e, na passagem, o deixasse na casa de Artur.

11. O namoro

Quando Cotinha começou a namorar Douglas, elas não moravam mais na avenida Amsterdam, mas numa rua transversal, a Oliveira Botelho, que levava até a avenida Beira-Rio. Era um casarão de dois andares que funcionava como consultório e laboratório de exames médicos. Minha tia era atendente e cuidava da limpeza. Em troca, não pagava aluguel pelos cômodos que utilizava: uma sala, dois bons quartos, um banheiro espaçoso, uma cozinha e uma dispensa que servia também de quarto.

    O consultório médico propriamente dito ocupava três espaços, separados por divisórias de madeira: em uma saleta ficava o aparelho de raios x; na outra, o local de revelação das chapas; na terceira, realizava-se o pneumotórax. O casarão acomodava com folga a família, a empregada e eventuais hóspedes como eu, além de lhes dar tranquilidade financeira. Sem a despesa do aluguel, o que as três ganhavam — Cotinha como professora, Leninha e tia Nonoca com as encomendas de costura e tricô, além dos doces para aniversários e casamentos — dava bem, numa cidade onde não havia muito em que gastar.

O único inconveniente era o medo permanente de contágio, principalmente quando havia aplicação de pneumotórax. Nesses dias, minha tia gastava litros de álcool nos equipamentos e nos móveis. Ninguém da família podia entrar ou sair pela frente, para não passar pelo consultório: tinha que usar a porta dos fundos, descer a escada, atravessar o porão e sair por ali, bem longe dos bacilos.

Cotinha e Leninha se irritavam com aquele excesso de precauções da mãe e a atormentavam fingindo que estavam namorando um agatê. Essas brincadeiras partiam sempre de Leninha. Cotinha não tinha muito humor, mas acompanhava a irmã. Fisicamente, as duas não se pareciam muito, já que a primeira era quase loura e a segunda, morena. No entanto, o formato do rosto pequeno e redondo, o tipo mignon, o corpo de falsas magras, as formas bem torneadas, principalmente as pernas, a cintura fina, tudo isso fazia com que elas parecessem variações distintas da mesma matriz genética que, além da mãe, fornecera mais sete exemplares de rara beleza. As pessoas tinham dificuldade de eleger a segunda mais bonita das oito irmãs, já que o primeiro lugar cabia por unanimidade a Maria da Glória, a tia Nonoca. Depois, em ordem de beleza, vinha uma irmandade de Marias: Maria Celeste, Maria Alice, Maria Aurora, Maria Cristina,

Maria Izabel, Maria Elisa e Maria Lúcia. Minha avó dizia que era uma promessa. Depois de perder duas recém-nascidas, ela decidiu dar o prenome de Maria às que depois sobrevivessem. Se fosse homem, seria José.

O rádio estava ligado na novela das oito da Rádio Nacional e minha tia, sentada de um lado fazendo crochê, fingia desinteresse pelo que ouvia. Do outro lado da mesinha, Leninha, concentrada, não perdia uma fala daquela história que já se arrastava por meses. Toda a noite era a mesma cena. Das três, Cotinha era a que não gostava de radionovela; aliás, detestava. Naquele dia, ela voltara da matinê no Cine Astória, onde fora com tia Celeste, em quem tia Nonoca "confiava desconfiando" para acompanhar as filhas.

Abaixou-se, chegou ao ouvido da irmã e sussurrou para que a mãe não ouvisse:

— Lena, encontrei o amor de minha vida.

Sem poder demonstrar sua irritação, não pela notícia, mas pela interrupção do ritual que lhe era sagrado, Leninha apenas resmungou:

— Ahn, tá, tá.

— Tá, tá o quê? — Perguntou tia Nonoca, sempre atenta aos cochichos.

— Perguntei se ela vai me dar uma mão na cozinha depois.

— Vocês querem deixar eu acabar de ouvir minha novela? — Leninha quase gritou. — Isso é hora de ficarem conversando?

Rindo da irmã, Cotinha pôs o dedo na boca e fez "psiu" para a mãe, com um bom humor incomum.

Geniosas ambas, Cotinha, no entanto, guardava o que Leninha, extrovertida, punha para fora. Uma certa circunspeção e um constante mau humor da mais velha contrastavam com a alegria e o riso franco da mais nova. Cotinha tinha uma sensualidade contida, reprimida. Leninha era divertida, provocante. Uma era dramática, a outra, cômica. Vivendo no auge da Política de Boa Vizinhança do presidente Roosevelt, elas pareciam saídas de um reclame das revistas ilustradas ou de um filme da Metro, aos quais assistiam todo fim de semana. Eram, como suas colegas, completamente americanizadas. Achavam que, para ser "modernas", precisavam usar batom Colgate, porque era "importado da América", perfumar-se com os produtos de toucador de Elizabeth Arden e se vestir com os modelos de Hollywood cujos moldes elas copiavam de publicações especializadas.

Cotinha e Leninha brigavam por qualquer coisa, mas se adoravam; eram amigas e confidentes. Diziam uma a outra o que escondiam da mãe, que tinha pudor ou medo de demonstrar sentimentos mais ternos para com as filhas, com as quais nunca havia falado de assuntos que envolvessem sexo. Da mãe, elas não se lembravam de um beijo sequer, a não ser quando eram muito pequenas. "Não gosto que me toquem, nem que me deem beijo melado no rosto", dizia. Tia Nonoca aprendera desde cedo a conter suas efusões e bons sentimentos, ou pelo menos a não exteriorizá-los. Facilmente explodia sua raiva, mas reprimia um gesto de carinho, um afago, um elogio. Fora criada assim e queria passar essa educação para as filhas. Só foi vista chorando quando o marido morreu, mas discreta e silenciosamente.

Tanta contenção ao longo da vida não deixava prever os transbordamentos de que fui testemunha involuntária naquela noite na farmácia. Será que as filhas imaginavam o que a mãe fazia? Tia Nonoca era proverbial. Tirava sempre uma frase adequada de seu compêndio moral: "Quem não se dá ao respeito não é respeitado", "A moça que não sabe se sentar não está preparada para casar", "Pelos modos se conhece uma moça direita".

Embora criadas obedecendo ao rígido controle da época, não deixavam de se divertir, tanto quanto suas primas e colegas da mesma idade: iam à matinê de domingo nos cines Alvorada, o mais caro, ou no Astória, o "poeira", melhor para namorar, faziam o *footing* na praça nos fins de semana e dançavam no Hotel Floresta, quando não preferiam os clubes Campestre e Elite. O cinema e esses salões eram o lugar onde em geral começavam os namoros. A Praça Central era boa para os flertes — para a troca de olhares, para os sorrisos apenas esboçados. Mas não era aconselhável namorar aí: a moça corria o risco de amanhecer malfalada na cidade.

Terminado o capítulo do dia, Leninha se dirigiu à cozinha para ouvir o relato da irmã, aproveitando que a mãe fora tomar banho.

— Você é engraçada, Cota. Arranja um namorado, o primeiro, e já acha que é o amor de sua vida!

— Mas é. Sabe aquele pressentimento, aquela coisa dentro de você dizendo "é esse"?

— Depois diz que a romântica sou eu. Quanto tempo vocês conversaram?

— Pouco tempo, porque o filme começou logo. Mas de vez em quando a gente se olhava e sorria.

— E tia Celeste?

— Ela sentou separado, bem longe.

— Vocês já se conheciam?

— Flertamos duas vezes na praça. Mas já na primeira, quando ele passou de bicicleta, com um blusão de couro e óculos de aviador, meu coração disparou.

— E só por isso ele já é o amor de sua vida!

Cotinha queria falar, tinha tanta coisa para contar: a maneira delicada como ele se dirigiu a ela ("Posso me sentar a seu lado?"), o tremor que sentiu quando por acaso os braços se esbarraram, aquele corpo forte a seu lado, a beleza do rosto, que rosto lindo, meu Deus, ela precisava dividir aquelas emoções novas. Mas desistiu, sabia que a irmã iria fazer piadas indecentes ("Deu pra ver se ele chegou a ficar 'preparado'?"). Era sempre assim, Leninha não levava nada a sério, anarquizava qualquer história. Melhor era mesmo guardar tudo para si.

Quando tia Nonoca saiu do banho, a sopa estava pronta. Nessa noite, excepcionalmente, elas iam jantar mais tarde, depois da radionovela, ali na mesa da cozinha, a preferida nos dias de frio. Graças ao calor do fogão à lenha, aceso o dia inteiro para manter aquecida a água do chuveiro por meio de um sistema de serpentina, aquele canto era o mais aconchegante da casa, desprotegida contra o vento. Não se entendia como era possível boas construções como aquela sem o mínimo de calefação e cheias de frestas. Por isso é que mme. Arlette, que há anos morava em Florida, vinda de uma região fria da França, vivia reclamando que era o lugar onde mais sentira frio na vida. Pouquíssimas casas na cidade conheciam o conforto de uma lareira ou de um aquecedor a carvão.

— Mãe, a sopa tá deliciosa! — Exclamou Cotinha, despertando uma vaga suspeita na mãe.

— Alguma coisa deve ter acontecido pra você elogiar uma comida feita por mim!

— Quando eu não gosto, a senhora reclama; quando gosto, também.

Era evidente a preferência da mãe pela filha mais nova e uma frequente hostilidade em relação à mais velha. Isso se agravou depois que o pai morreu. "Se papai estivesse vivo...", costumava dizer Cotinha sempre que era contrariada pela mãe.

Só para dar um susto na irmã, Leninha entrou na conversa:

— Por que será que a Cota chegou tão alegre, hein, mamãe?

Por baixo da mesa, Cotinha conseguiu acertar um chute na canela da irmã.

O jantar era o campo de batalha das duas. Minha tia nunca estava satisfeita com o que a filha mais velha fazia ou deixava de fazer. Toda vez que a olhava, era para implicar. Reclamava da maneira como se sentava, "encurvada", como andava, "pisando duro", como se vestia, "toda desleixada". Além do mais, deixava as luzes acesas, obrigando a mãe a ir atrás apagando e reclamando "você é sócia da Light?". E a pasta de dentes? Era incapaz de tampar o tubo depois de usar. Não sabia dar brilho no assoalho, não enxugava os pratos, não espremia o pano de chão. "Leninha, ensina sua irmã a fazer direito. Ensina ela a esticar o lençol e a prender no colchão, a varrer debaixo da cama."

Aqueles modos atrevidos, a mania de cruzar as pernas, de falar alto, de botar os cotovelos sobre a mesa, ela não tinha jeito. Como podia ser tão diferente da irmã, bem-comportada, obediente? Cotinha, porém, não tinha rancor da irmã, tinha da mãe.

— Você só sabe falar de boca cheia? — Recriminou tia Nonoca durante um jantar.

— Quem manda fazer pergunta na hora em que a gente tá de boca cheia? — retrucou a filha com a boca cheia, exagerando na dificuldade de falar.

— Não responde, sua malcriada!

— Se me perguntam, é para eu responder.

Uma outra briga, essa mais feia, eu também presenciei. Cotinha começou reclamando que a sopa estava quente.

— Como é que vou tomar assim?

— Deixa esfriar, sua apressadinha. Você não vai tirar ninguém da forca, vai?

Não sei se o que Cotinha respondeu tinha segundas intenções, acredito que não. Mas foi como se tivesse.

— Mas quando a senhora tem que tomar injeção fica toda apressadinha, não fica?

Cotinha disse isso e fez o que causava uma incontida irritação materna: chupou a sopa da colher fazendo barulho com a boca, "que nem pia desentupindo", como costumava dizer a mãe.

Tia Nonoca tinha uma coleção de olhares que suas filhas reconheciam: de recriminação, impaciência, desprezo. Eu conhecia o de raiva. Mas o que ela lançou sobre Cotinha agora era diferente; era de fúria: os olhos não brilhavam, faiscavam. Suas narinas também estavam diferentes: dilatavam-se como se estivessem palpitando. Quando me repreendeu na farmácia, fiquei com medo, mas em nenhum momento achei que ela fosse me bater. Ela se orgulhava de "nunca ter precisado encostar a mão numa filha". Acreditava no olhar e na fala para impor respeito. Na família se dizia que tia Nonoca agia assim porque temia começar a bater e não saber parar.

Tenho a impressão de que sua mão, naquele jantar, mudou de intenção no meio do caminho, desviando do rosto de Cotinha para o tampo da mesa. Foi um movimento tão violento que durante dias ela teve que usar um pano amarrado no punho. O golpe abrira seu pulso direito.

Durante a cena, Cotinha não procurou desviar o rosto. Ao contrário, ofereceu-o insolentemente à mãe para receber o golpe. Talvez achasse que seria uma vitória, ela que não admitia perder. Provaria que a mãe não tinha tanto controle quanto dizia e ostentava. Rebelde e teimosa, Cotinha ia sofrer muito para provar que sempre tinha razão.

Nesta noite, porém, ela estava irreconhecível, e Leninha não cessava de chamar a atenção da mãe para a mudança de humor da irmã.

— Quando Celeste chegar, vou saber o que aconteceu — disse a mãe, sem acreditar no que dizia. No fundo sabia que era perda de tempo, porque a tia procurava sempre acobertar as sobrinhas.

Não demoraram muito na mesa. Ajudaram a mãe a lavar a louça, puseram o que sobrou de comida do lado de fora da janela que dava para o quintal, para conservar, e foram para o quarto. Antes, sintonizaram o rádio na PRA-9, Mayrink Veiga, e pediram à mãe que quando começasse o programa de Carlos Galhardo aumentasse o som para que pudessem ouvir de lá.

Enquanto realizavam a operação de aquecer os lençóis com o ferro de passar roupa, como faziam toda noite, a mãe bateu na porta e perguntou de fora:

— Já escovaram os dentes?

Ela as tratava como se fossem duas meninas. Aliás, era assim que se referia às duas: "As meninas."

— Ainda não, mãe, mas vamos escovar.

No inverno, a operação de molhar as mãos e o rosto na água fria significava um sofrimento a ser protelado, quando não se apelava para o recurso de deixar a água correr para dar a impressão de que estava sendo usada.

Foi Leninha que retomou o assunto:

— Qual é o nome dele, eu conheço?

— Você não conhece, ele se chama Douglas.

— É bonito?

— Não. É lindo. Alto, forte, quase louro de pele morena, olhos verdes. Um pedaço de mau caminho.

— O que que ele faz na vida?

— Trabalhava no Rio. Agora está esperando que chamem ele de novo.

— Um desocupado, né, Cota?! Ah, se mamãe souber!

12. Dona Santinha

No dia seguinte, dona Santinha chegou sem avisar, sabendo que as meninas não estavam em casa. Ela era da mesma idade de Nonoca, mas parecia bem mais velha. Ainda por cima, feia. O marido, como muitos dessa época, dividia sua vida com outra, com quem tinha um filho pequeno, mas de vez em quando dormia em casa. Assim, mantinham o que era importante: as aparências. Ela fingia que não desconfiava e ainda se queixava com as amigas do "ciúme doentio do Tavares". Segundo ela, mesmo depois de tantos anos de casamento, o Tavares continuava apaixonado e tinha muito medo de perdê-la. "É um inferno, ele acha que todo rapaz olha pra mim; tenho que sair escondida, senão ele não deixa." As pessoas faziam gozações, mas ela não percebia: "Cuidado, Santinha, o Tavares tá atrás de você."

A filha única, Selma, mais velha que Cotinha dois anos, não arranjava namorado fixo. Os rapazes só a queriam no escurinho dos cinemas ou da avenida Beira-Rio. Diziam que ela era "fácil", que deixava fazer muita coisa. Um espalhou no colégio que havia acariciado seus seios por cima do sutiã, durante um filme. Foi o bastante para ela ficar malfalada na turma.

Santinha foi entrando com aquele seu jeito intruso, "ô de casa, com licença, tou entrando". Tia Nonoca não conseguia disfarçar sua antipatia, dizia que ela era "uma fuxiqueira". Uma noite, saindo da Pharmacia Canuto, encontrou-a por acaso. Ela sempre surgia por "acaso". Minha tia temia que tivesse sido espreitada:

— Ô, Nonoca, que coincidência, estava passando por aqui quando te vi. Veio comprar remédio ou tomar injeção com seu Canuto?

Alguma coisa na maneira de fazer a pergunta, uma certa entonação maliciosa, deixou minha tia com a pulga atrás da orelha. "Será que essa bruaca anda me espionando?", pensou.

— Por que, Santinha? Você por acaso está precisando? O problema é que, se for injeção, não vai servir pra você. Ele só aplica no braço — mentiu, devolvendo a ironia.

A hostilidade com que tia Nonoca tratava abertamente dona Santinha não fazia a menor diferença; ela não estava nem aí.

— Você desculpe chegar assim sem avisar, mas é um assunto importante — foi dizendo para tia Nonoca, que estava na cozinha.

Fez uma pausa. Sua história era cheia de pausas dramáticas baratas. Queria observar a cara de preocupação de minha tia:

— É uma coisa desagradável, Nonoca.

Um dos prazeres dela era contar coisas desagradáveis ocorridas com os outros. Antes da novidade ruim, costumava fazer uma cara compungida, que a tia Nonoca pelo menos não enganava.

— Então conta logo.

— Diz respeito à Cotinha — ela retardou o relato, para aumentar o mal-estar de minha tia e o próprio prazer.

— Você sabe que sou sua amiga e que gosto de Cotinha como se fosse minha filha.

Tia Nonoca estava a ponto de explodir.

— Ô, Santinha, você não veio aqui para falar de seu amor por mim e minha filha, pois não?

— Não, claro que não.

— Então desembucha logo que eu já estou perdendo a paciência.

— É que, por acaso, vi a Cotinha ontem no cinema com um namorado.

— Como é que você sabe que era namorado?

— Porque passaram o filme todo conversando. Não fizeram nada demais, fica tranquila, pelo menos enquanto eu estava observando, mas só tiveram olhos um para o outro.

— E como você viu?

— Eu estava sentada no camarote, no meu lugar de sempre, e quando olhei para baixo quem eu vi? Cotinha e um rapaz.

As moças que namoravam no cinema, inclusive sua filha Selma, conheciam a preferência de dona Santinha. Os belos camarotes do velho Astória foram feitos para se apreciar uma peça ou uma ópera; não eram o melhor lugar para se ver uma fita, porque ficavam na parte de trás da sala, em cima. Mas dona Santinha não ia lá para assistir aos filmes, e sim para ver, por acaso, sempre por acaso, quem namorava quem. Ela se sentava na primeira fila, no alto, de onde descortinava toda a sala, com exceção evidentemente das poltronas que se situavam embaixo de seu camarote, justamente onde a filha se sentou ao lado do namorado, depois de esperar a luz apagar para entrar. Ali ela "fazia" muito mais que a bem comportada Cotinha.

— E quem era o rapaz, você conhece? — perguntou tia Nonoca.

— Não, porque ele não deve ser daqui.

— Você gosta tanto de escarafunchar a vida dos outros, devia ter trazido a informação completa — disse tia Nonoca, praticamente enxotando dona Santinha. — Agora me deixa sozinha que eu tenho muito que fazer. De mais a mais, o Tavares deve estar atrás de você.

— Não queria te aborrecer, só resolvi contar porque gosto da Cotinha como uma filha, você sabe.

Tia Nonoca virou as costas e, enquanto dona Santinha descia a escada, repetiu sarcasticamente: "Eu sei o quanto você gosta de minha filha e de mim, eu sei." Estava irritada consigo mesma por ter dado ouvidos àquela jararaca. Essas pessoas só existem, pensou, porque a gente dá corda à maledicência delas.

Depois de enxotar a mexeriqueira, procurava expulsar do pensamento o que ouvira. Essa bruaca não envenena minha vida não, por mais que queira. Por outro lado, admitia, ela é intrigante, exagerada, mas nunca se soube que fosse mentirosa. Será que ela seria capaz de inventar uma situação como a que descreveu? Nonoca estava desnorteada.

No dia seguinte chegava um pequeno envelope fechado. Dentro, um pedaço de papel escrito: "O nome é Douglas, não trabalha, é daqui, mas está sempre no Rio." Não tinha assinatura, e nem precisava.

Tia Nonoca rasgou o bilhete e perdeu a respiração, como que abatida por uma tragédia. Só fez um comentário, para si mesma: "Por isso é que ela chegou tão alegre do cinema."

13. A enxaqueca

No dia seguinte, tia Nonoca não conseguiu se levantar. Uma de suas enxaquecas crônicas, dessa vez das bravas, levou as filhas a chamar o dr. Agnaldo, que diagnosticou "crise nervosa", receitando-lhe calmante e repouso. Depois da morte do marido, ela passou a sofrer esses achaques, não podia se aborrecer (Cotinha chamava de chiliques). Foi aliás por causa disso que começou a frequentar a farmácia do seu Canuto. A partir de então, curou-se, pelo menos até a crise de agora, que a obrigou a permanecer dois dias no quarto escuro praticamente sem se alimentar. Quando saiu da cama, estava abatida e acabrunhada, como se tivesse perdido alguém.

O que a reanimou foi a disposição de desvendar o segredo revelado por dona Santinha. Fiscalizar Cotinha passou a ser sua obsessão. Apelou para Leninha, para as tias, pedia que todo mundo tomasse conta da filha, e preparava-lhe armadilhas. Deixava que ela saísse e, escondida, ia atrás tentando surpreendê-la. Solicitava a ajuda dos outros e ao mesmo tempo não confiava em ninguém. Achava que Leninha e tia Celeste faziam parte de um complô contra ela para proteger o namoro de Cotinha. Em parte tinha razão porque suas irmãs, se não acobertavam o romance, também não se prestavam a denunciá-lo. Quanto a Leninha, não deixava de ter com a irmã uma inabalável cumplicidade.

— Você está exagerando, Nonoca — disse-lhe um dia a irmã Aurora, logo abaixo dela em idade e autoridade.

— Eu sei o que estou fazendo.

— Não sabe, não. Parece até não conhecer Cotinha. Quanto mais você proíbe, mais ela desobedece.

Insegura quanto aos métodos que estava usando, tia Nonoca resolveu de repente mudar de tática.

— É verdade que você está namorando um sujeitinho desocupado? — Perguntou-lhe um dia à queima-roupa.

— Primeiro, ele não é "sujeitinho", nem "desocupado". Segundo, estou namorando sim.

— Estava. Porque a partir de agora você não vai mais ver esse sujeitinho. Está proibida de pôr os pés na rua.

Durante duas semanas trancou-a dentro de casa e, em consequência, trancou-se também, em permanente vigília. Leninha tentou interceder, mas a mãe repeliu-a rispidamente.

— Não se meta. Senão, fica você também de castigo.

Dia e noite as duas ali, sem se falar, alimentadas por um ódio mútuo e visceral. O nome Douglas não foi pronunciado nem uma vez, mas ele estava ali presente entre as duas durante o tempo em que ficaram trancadas.

Foi quando Cotinha resolveu se matar, anunciando que ia tomar veneno. Não era uma encenação, ela acreditava ser mesmo um desejo e uma intenção. No fundo, porém, esperava sobretudo que a ameaça de um gesto extremo amolecesse o coração materno. Não era possível que uma mãe permanecesse insensível diante da tentativa de suicídio de uma filha. Escreveu algumas palavras num papel — "mãe, não aguento mais. Sem Douglas eu prefiro morrer" — deixou num lugar bem visível e se trancou no quarto.

Não se passaram cinco minutos e um estrondo foi ouvido. Tia Nonoca arrombara a porta com o ombro, e aos gritos se atirou sobre a filha: "Você não quer morrer? Então vai morrer agora." Trazia na mão um frasco, que se soube mais tarde tratar-se de "Sublimado corrosivo", uma droga para tirar mancha de pele contendo mercúrio. "Abre a boca, vamos, abre", gritava, enquanto segurava a filha, que se debatia tentando se desvencilhar. A mãe tentava apertar-lhe o nariz para que assim abrisse a boca, mas ela trancou os lábios, mordendo o inferior com os dentes superiores.

— Para com isso, mãe, para — implorou.

— Não, agora você vai beber o veneno.

O remédio escorria-lhe pelo rosto, mas não era engolido. Lutaram durante alguns minutos, mas a batalha não ia ter vencedora. Cotinha não conseguia se soltar e tia Nonoca não conseguia empurrar-lhe o suposto veneno goela abaixo. Enfim esfalfadas, caíram sobre a cama, cada uma de um lado, os cabelos desgrenhados e as roupas em desalinho. Talvez pela primeira vez as duas riram juntas, de si mesmas e daquela cena que começou patética e terminou ridícula.

Muito tempo depois, Cotinha diria: "Nunca mais pensei em me matar."

Para escândalo da família, correram internamente os rumores de que tia Nonoca havia tentado envenenar a filha. Em casos graves como esse, uma espécie de conselho dos parentes mais velhos reunia-se para tratar da questão, antes que fosse levada para o arbítrio superior de minha temível avó Ester. Enérgica e autoritária, cabia a ela a última palavra, mesmo quando meu avô estava vivo. Mas os problemas só lhe chegavam quando fracassavam as iniciativas de conciliação nas instâncias inferiores, ou seja, quando os tios não encontravam jeito ou solução.

Convocada para a reunião, tia Nonoca teve que ouvir primeiro um sermão de Bentinho sobre a responsabilidade de educar filhos, principalmente filhas, num mundo moralmente "perdido", como reafirmava sempre, repetindo o que mamãe já dizia. A culpa, em suma, era dela, mãe, que não tinha "energia", "não se fazia respeitar". O fato de se tratar de uma viúva aumentava ainda mais a responsabilidade.

Mais velho de uma irmandade de oito mulheres e três homens, Bentinho tinha 60 anos e era padrinho de tia Nonoca, que o chamava de "tio" e "senhor", como aliás todas as irmãs, e tomava-lhe a bênção. Diante dele, a insolente viúva, dona do seu nariz, com cabelo nas ventas, se transformava em tímida adolescente. O poder do primogênito substituía o do pai ausente.

— Você tem que dar o exemplo.

— Mas eu dou, Dindinho.

— Não me interrompa. Se sua filha tivesse aprendido a obedecer, não faria o que fez. Quando se tem autoridade, um olhar basta, não precisa recorrer a ameaças de morte.

Nonoca teve que se conformar em ouvir calada. Dado o recado — "que isso não se repita" — Bentinho se retirou, deixando a acusada entregue aos conselhos da mulher, Gilda, que simulava entender o drama da cunhada, que se comportava como sobrinha e a chamava respeitosamente de tia. Sabia que ela tinha feito aquilo para o bem da filha, mas que não era dessa maneira que impediria o namoro. Um namoro firme bem controlado, essa era sua tese, é melhor do que namoricos sem consequência. "Conheço filhas de amigos que se

perderam assim: um dia um namorado, no dia seguinte outro, e pronto: caíram na boca do povo
e não arranjam mais casamento. Veja o caso de
Madalena, mais nova e já encalhada."

— O que faz esse rapaz?

— É um vagabundo, tia Gilda, só quer saber de jogo e de mulheres.

— Se ele estiver mesmo disposto a casar,
isso não tem importância. O que importa é o casamento, são os filhos. Seu padrinho não joga. Em
compensação...

Ela era conhecida pelo pragmatismo. "Gilda é muito prática." Dizia-se também na família
que ela havia se casado grávida, depois que o pai
descobrira o mau passo. Logo que soube, foi tomar
satisfações com o pai do namorado, que obrigou
o filho a assumir suas responsabilidades. O casamento foi discreto e rápido, antes que a barriguinha denunciasse o estado da noiva.

— Vou lhe dar um conselho, minha filha.
Finge que está proibindo, mas não proíbe, não.
Toma conta, vigia, mas deixa ela namorar. Quem
sabe o rapaz não está com boas intenções.

— Mas ele não presta!

— E que homem presta? São todos iguais.
O seu só presta porque morreu.

Nonoca ficou uma fera, mas não respondeu nada. Só pensou: *ela está julgando os outros
pelo marido, um sem vergonha como todo mundo
sabe.*

Agradeceu os conselhos, tomou a bênção e foi para casa humilhada por não ter reagido à altura e dado as respostas que costumava dar quando era contrariada. Embora continuasse repetindo que *nem passando por cima do meu cadáver*, sentia-se derrotada.

Ela foi remoendo o que teve que escutar. Quem era o seu padrinho Bentinho, um velho babão que atacava até as empregadas, para vir agora puxar sua orelha? E tia Gilda, que todo mundo sabia ter casado já com barriga? No meio de tanto fingimento, aquela advertência de que Cotinha poderia virar uma Madalena deixou-a particularmente preocupada. Ela tinha pressentimentos. Achava que adivinhava o perigo antes de acontecer. Não queria a filha malfalada. Nem Madalena nem Mirtes.

14. Devolvendo a noiva

Entre as moças que lançavam moda em Florida, havia as Van Holten, as Pompeano, as Handfields, as Galeando, mas era das Maschiani — Eda, Ada, Iris e Ida — que Leninha tinha inveja, principalmente da última, a mais nova, mais original e mais ousada. Elas conseguiam ser "levadas", sem serem malfaladas. Pareciam ricas e eram apenas remediadas. O pai, seu Francesco, um alfaiate, o melhor da cidade, dera uma educação rigorosa e refinada às filhas.

Um fenômeno curioso ocorria em Florida. Preconceituosa, de convicções arraigadas, a cidade praticava discriminação racial e de classe. Mas essas barreiras podiam ser transpostas em certos níveis, se a pessoa possuísse alguns atributos especiais. As filhas de um alfaiate podiam frequentar o Elite Clube ou a Sociedade Floridense e se transformar em ícones da juventude dourada, se fossem bonitas, charmosas e alegres como as Maschiani. O carisma pessoal contava como status na escalada pela mobilidade social.

As Maschiani se divertiam. Passeavam na praça, iam às matinês de domingo e andavam de bicicleta, mesmo não tendo nenhuma. Ou melhor, Ada tinha uma, pois dava aula muito distante, em Degredo. Para as outras, existia a casa de aluguel do seu Jauário. Namoravam bastante, mas daquele jeito. Não arriscavam, por exemplo, dar a "volta do ó", que era sair da praça, passar pela rua do Pequeno Herói lá no fim, atravessar a ponte da avenida Beira-Rio e voltar de mãos dadas com o namorado. Sua mãe impunha um lema, quase que falando em nome dos pais da época: "Namorar, só do pescoço para cima" — mesmo assim em termos: nada de beijos com língua, muito menos carícia nos seios.

Em compensação, de tarde, depois do banho, elas iam andar de bicicleta na praça, uma espécie de quintal de quem morava bem em frente, como elas. Calçavam a meiinha de seda, o sapatinho raso, botavam o vestido e corriam para o seu Januário, onde o pai mantinha uma conta. O sonho delas era passear de bicicleta de calça comprida, como algumas poucas colegas, mas isso seu Maschiani não deixava mesmo.

Evidentemente, não andavam apenas pelo prazer de pedalar, mas pedalavam também para namorar. A "alameda das formigas" era a ideal para isso porque, estreita, obrigava as bicicletas a ficarem mais juntinhas. Às vezes, lado a lado, dava até para segurar na mão. Se uma moça fosse fazer isso na alameda mais larga, ia dar na vista. Lá, fingia-se que era por necessidade. Afinal, como andar naquela pista estreita sem ser juntinho?

Essas horas de lazer eram possíveis quando tudo corria bem no colégio, ou seja, quando não chegavam com alguma queixa das freiras, o que era comum. As aulas no Colégio das Irmãs iam das oito horas da manhã às três da tarde, mas elas deviam chegar às sete, por causa da Educação Física, uma obrigação que seria até agradável, se não fossem algumas imposições, como a roupa: meias pretas de algodão, sapato de vaqueta, um calção franzido até o joelho, uma veste toda abotoada e um vestido por cima.

Apesar desses cuidados, não era permitido que as alunas realizassem um dos desejos reprimidos de Ida, talvez o menos pecaminoso: pular um cavalo de pau que havia no pátio. Ah, como ela sonhava com aquilo: vir correndo, apoiar-se nas mãos e cair sentada naquele aparelho de ginástica. Já que isso era impossível sem abrir as pernas, as irmãs não permitiam que o indecoroso exercício fizesse parte do currículo de Educação Física, sem explicar por que insistiam em manter ali o equipamento inativo. Ou será que, à noite, elas realizavam a fantasia do cavalo de pau? É claro que não, porque nessa hora elas estavam ocupadas em vigiar se alguma interna se encontrava por acaso dormindo de barriga para baixo.

As madres erigiam as barreiras possíveis ao desejo. As meninas não podiam dormir de bruços porque a posição facilitava o contato das partes eró-genas com o lençol. Também só tomavam banho vestidas, para que não tivessem a visão do próprio corpo nu, sobretudo com a água escorrendo sobre ele. Não percebiam o quanto pode ser mais sensual a imagem de uma camisola molhada colada ao corpo.

Se mesmo assim o pecado da luxúria con-seguia penetrar naquelas fortificações do recato, não era por falta de zelo, mas por ser um vírus insidioso que se infiltra pelos poros da pele, antes de chegar à cabeça.

As irmãs Doroteias ajudaram a construir a moral da época, mas não foram as únicas. Graças a um esforço concentrado de pais, professores e da sociedade em geral, moças como Ida só depois do casamento foram saber que se podia dar um beijo usando a língua. Ela ficou paralisada quando viu seu marido nu pela primeira vez. Nunca imaginou que certas partes do homem fossem tão cobertas de pelo. "É um macaco!", chegou a pensar, sem conseguir expressar sua repugnância e espanto. "E essas coisas penduradas!?", traumatizou-se.

O que mais a assustou na noite de núpcias foi o órgão de seu marido mudando de forma, en-rijecendo, crescendo. De repente, aquele apêndice murcho adquiriu uma rigidez agressiva, dobrando de tamanho, tornando-se ereto e apontando para ela. Implorou ao marido: "Vira isso pra lá!"

— Fica calma, meu bem — ele procurou tranquilizá-la.

— Como ficar calma se ele está se levantando e apontando pra mim?

— Sua mãe não falou com você sobre isso? Não acredito.

— Olha só, ele está se mexendo. Por favor, manda ele baixar, meu amor.

— Ele não faz mal, meu bem.

— Mas eu não quero ele virado pra mim, vira ele pro outro lado.

Mesmo tendo todo esse trabalho de convencimento, o recém-casado não conseguia se distrair, mudar de assunto para que a ameaça à inexperiente esposa sossegasse. Mas nada, ele permanecia ereto e decidido. Passou então a conversar com ela sobre a cerimônia, que tinha sido tão linda, enquanto odiava a sogra por não ter dado um mínimo de preparação à filha.

Famosa pela beleza e por um certo ar moleque, um jeito de "levada", Ida era também a mais provocante da turma. Gostava de afetar olhares lascivos para os rapazes na saída do cinema, imitando o que acabara de ver em um filme italiano. Se o rapaz, estimulado, se aproximava acreditando na promessa de um namoro, uma gargalhada ridicularizava as intenções do pretendente, que ficava com cara de bobo diante dos colegas. O que pouca gente soube, talvez só a família, é que sua lua de mel por pouco não se transformou em escândalo. Seu casamento correu o risco de ser anulado.

Ida ficou na história de Florida como a primeira noiva com direito a damas de companhia — todas de vestido verde-claro, carregando rosas vermelhas nos braços. Seu casamento foi um acontecimento. A cidade praticamente parou para vê-la entrando na igreja matriz. Havia tanta gente que o carro não conseguiu estacionar em frente. Nervosa, com o buquê tremendo nas mãos, ela teve que descer e caminhar a pé no meio de uma pequena multidão. As moças queriam tocar o vestido que fora confeccionado no Rio por uma famosa modista da alta costura.

Leninha não perdia um casamento. No de sua amiga Ida, ela chegou com duas horas de antecedência, antes de qualquer outro convidado. Postou-se na primeira fila, no lado do corredor, de maneira a poder ouvir o "sim" e ver todo o espetáculo, inclusive a entrada. Quando a noiva foi introduzida na matriz por seu Francesco Maschiani, e os músicos trazidos do Theatro Municipal do Rio iniciaram a marcha nupcial — os violinos e o órgão tocando, o tenor cantando —, Leninha achou que ia chorar. *Como seria a lua de mel? Será que Ida é ainda virgem ou já está grávida?*

Experiente, com dez anos a mais do que aquela quase menina de 16 anos, não passava pela cabeça do noivo que os pais não tivessem preparado a filha para aquele momento. Leo, porém, não perdeu a paciência. Explicou o que deveria acontecer naquela noite, tentou convencê-la a aceitar a fatalidade, mas em vão. Ela chorava e se queixava: "Então foi pra isso que você quis se casar comigo?"

Ele não insistiu mais. Mandou que ela se aprontasse, pegou-a pela mão e levou-a à casa dos sogros, acordou-os e contou tudo à mãe. Dona Lídia quis ficar sozinha com a filha. Depois de quase uma hora de conversa, saiu do quarto e devolveu-a ao constrangido marido, que a levou de novo ao hotel, onde tudo se esclareceu — não naquela noite, bem entendido, que foi noite de ansiedade e perturbação, de nada mais.

15. Teve quem ela quis

Não se pode julgar as moças dessa época por Ida, embora ela não fosse a exceção. Havia outras. O que mais me estarrece é isso ter acontecido justamente com ela, que simbolizava um comportamento avançado. Já Madalena era meio metida a sabida. Como gostava de fato do namorado, mas tinha suas dúvidas quanto a ser correspondida, queria preservar a virgindade para o casamento, viesse a ser com quem fosse. Estava disposta, porém, como muitas de suas amigas, a permitir "o resto", entendendo-se por isso tudo o que a imaginação não ousava exprimir em palavras.

Não percebia que os namorados da época gostavam mais de anunciar do que de fazer. Se contavam "farol" quando nem razão tinham para isso, por ser mentira ou exagero, imagine-se quando era verdade. De moças "malfaladas" por boa-fé ou ingenuidade, o repertório de Pepe estava cheio.

Um belo dia, depois de oito anos de noivado, e já com parte do enxoval pronto, o noivo de

Madalena comunicou-lhe que ia se casar — com outra. Foi o bastante para se concluir que, se ele a abandonava, era porque lhe fizera "mal". A partir de então, nenhum rapaz queria se aproximar dela com boas intenções, e sim para se aproveitar. Minha tia, impiedosa, não perdoava: "Na hora de dar o mau passo não pensou nas consequências. Agora paga."

Nos bailes, Madalena não encontrava mais par. Só era "tirada" pelos primos. Aos 30 anos, bonita, atraente, estava condenada a ser mais uma daquelas solteironas da cidade, uma situação que não estigmatizava tanto quanto a de "separadas", mas que praticamente impedia o casamento. As histórias corriam: se ele a largou é porque ela não prestava.

Melhor então ser como Mirtes, que, essa sim, debochada, sabia gozar a vida. Seu lema baseava-se na seguinte constatação: "Já que eles falam, mesmo quando a gente não faz, é melhor fazer." E ela fazia. Sua maior proeza foi em plena praça, na parte menos movimentada, mas ainda assim com gente passando, e nem tão tarde era.

Ela estava como de costume no Cassino, que pertencia a seu pai, quando na sala de jogo um insinuante jogador começou a observá-la. Depois de mais uma rodada perdida, ele levantou os olhos da roleta e viu aquela linda morena provocando-o, convidando-o com um piscar de olhos. Trocou logo as fichas, e em poucos minutos os dois estavam no banco da praça fazendo o que iria escandalizar a cidade no dia seguinte, quando a crônica do acontecido começou a ser feita na Sorveteria Favorita, onde todos os fatos e lendas tinham início.

Dessa vez, porém, o eleito para a proeza acabou virando motivo de chacota. Na noite seguinte, quando começou seu relato na roda que se reunia em frente à Favorita, fez mistério quanto à identidade da ousada parceira, mentindo que era moça de família, virgem, por isso não podia revelar o nome.

— Aí, a muito custo, ela abriu a minha calça e anunciou...

— Não vai dizer que foi a Mirtes? — interrompeu Pepe, provocando na turma uma gargalhada que quase acordou os moradores da Praça Central. Já se conhecia ali a autora dos arrojados gestos e falas que não eram comuns nem entre as profissionais da zona.

Mirtes nasceu antes de seu tempo: fazia o que queria, com quem queria e onde queria. Não que ela fizesse ou inventasse o que outras não fizessem, mas é que ela fazia, falava e, se preciso, mostrava o que fazia. Não se sabe se foi ela quem desferiu o primeiro ataque à fortaleza da hipocrisia na cidade, mas foi a mais natural e espontânea militante da causa.

Vangloriava-se de dirigir as carícias de um homem sobre seu corpo, pelas zonas erógenas. "Quem manda no meu corpo sou eu", dizia para as amigas. "Quem diz 'assim, mais pra cima', 'agora', sou eu." Numa época em que uma moça de família deveria manter em segredo os vestígios do desejo e da sexualidade — a excitação, os líquidos, as secreções, o sangue das regras, tudo era tabu —, Mirtes propunha uma revolução comportamental, mas sem intenção, com a mesma naturalidade com que abria uma braguilha.

Eu estava na praça no dia em que apareceu tomando Coca-Cola no gargalo, com o mesmo jeito impudente com que chupava o picolé Chicabon, da Kibon, que acabara de chegar à cidade. Foi um escândalo não só por causa do gesto, que dava margem a sugestões obscenas, como por causa dessa bebida desconhecida, escura, cheia de gás, que fazia arrotar. Um horror. Sem falar que, quando derramada sobre um prego enferrujado, dizia-se que ele ficava novo. Imagina esse líquido no estômago de uma pessoa! Ainda bem que as famílias não precisavam se preocupar. Seria uma moda passageira, não ia pegar. Como previa Pepe, escolado nesses modismos, era só "fogo de palha". "Quem vai trocar o Guaraná por esse xarope? Não dura mais que um verão." Tanto que fizera uma encomenda pequena para sua sorveteria: "Só para atender a uns poucos veranistas do Rio."

Mirtes era bela de rosto, mas tinha um corpo considerado muito magro. Suas desafetas, e eram muitas, a chamavam de "saracura" por causa da magreza e de suas longas pernas. Leninha soube por sua costureira que ela media 1,79, pesava 51 quilos, tinha um busto de 86 cm, uma cintura de 59 cm e quadris de 85 cm. Embora fossem medidas muito distantes do "corpo tipo violão", que era o padrão vigente, Mirtes se orgulhava delas. "Eu sou a mulher do futuro!", prenunciava.

Outro episódio famoso de sua crônica ocorreu no Cine Teatro Astória. No meio de um filme que eu já não me lembro qual era, a fita arrebentou, como acontecia de vez em quando, a luz foi acesa inesperadamente e os que estavam perto do casal puderam entrever o final de uma cena proibida: ela não conseguiu levantar a cabeça do colo dele a tempo de evitar o flagrante.

A novidade não era só o que Mirtes fazia, mas o que dizia, erotizando cada palavra, cada gesto, cada olhar. Escandalizava as colegas, ao mesmo tempo em que as fascinava: "Vocês não sabem como é bom sorver de um homem até a última gota." Ela teve provavelmente os amantes que quis, mas morreu solteira, sem conseguir se casar. Justificava-se dizendo que era porque não queria, mas essa afirmação talvez fosse sua única concessão, uma espécie de homenagem que prestou à hipocrisia da época. Era a sua maneira de não permitir que se tirasse como moral de sua história a conclusão de que, no final das contas, a hipocrisia compensava. A verdade, porém, é que ela quis se casar, mas não pôde porque ficou malfalada, tornou-se uma irremediável "perdida".

16. A primeira vez

Exatamente um ano depois de começarem a namorar, Cotinha e Douglas se beijaram pela primeira vez. Antes, ele só ousara segurar a mão dela no Cinema Alvorada, com a luz apagada e na última fila, que era onde se faziam essas coisas. Nos bailes dominicais do Hotel Floresta, chegaram a dançar de rosto e corpo colados, e ela pôde sentir fisicamente o quanto ele a desejava. Mas isso era raro e não podia demorar muito, senão as pessoas comentariam com malícia. O paletó abotoado procurava proteger o cavaleiro dos olhares indiscretos das acompanhantes atentas, sentadas nas mesas. Mas nem sempre o expediente conseguia esconder ou disfarçar as alterações corporais mais visíveis. Não havia o que fazer contra o fato de a natureza ter dotado o homem de evidentes sinais exteriores de desejo.

Eles namoraram uns três anos, ao fim dos quais foi que tudo aconteceu — e ela relutou em contar para a irmã, com quem repartia seus segredos. O beijo ela achou que não tinha problema. Chegou na ponta dos pés, para que a mãe não ouvisse seus passos naquelas tábuas que rangiam, tirou o casaco, sentindo as mãos e o rosto ainda gelados. Era maio, mas o frio já era de junho. Entrou no quarto e encontrou acesa a luz do abajur que ficava na mesinha de cabeceira entre as duas camas. Leninha se mexeu, debaixo de dois grossos cobertores. Devia ter dormido havia pouco. O ferro a carvão de passar roupa com que costumavam aquecer os lençóis ainda estava quente.

— Onde é que você estava até essa hora? — resmungou Leninha, abrindo os olhos e virando-se de frente.

Cotinha nem se deu ao trabalho de responder. A irmã mais nova estava cansada de saber que ela fora ao cinema. Excitada com o que acabara de acontecer, preferiu contar logo:

— Leninha, o Douglas me deu um beijo! — falou baixinho, com medo de que a mãe pudesse escutar, com aquela mania de colar o ouvido na porta para descobrir o que as filhas estavam conversando.

A irmã não acreditou no que estava ouvindo. Deu um salto e sentou-se na cama, irritada com a ousadia.

— E como é que você deixou ele fazer isso?

— Deixei porque hoje completa um ano que a gente começou a namorar. Quis dar a ele esse presente.

— Mesmo sem saber se ele vai casar com você?

Leninha não se conformava com a notícia. Embora ela mesma já tivesse sido beijada umas duas vezes, ainda que muito rapidamente, era difícil admitir que a irmã mais velha, puritana, que vivia dando lição de moral, se deixasse beijar por alguém que nem noivo era, sequer lhe pedira a mão.

— Será que não viram?

— Se viram, é que estavam fazendo o mesmo lá atrás. Logo, não podem falar nada.

O problema, elas sabiam, não era propriamente o que se fazia, mas o que os outros iam dizer. Ser malfalada era o pior castigo que podia sofrer uma moça de família que quisesse se casar — e as duas sonhavam com isso. Era só ver o caso da Madalena, coitada. Por causa de um beijo rápido, caiu na boca do povo. "Mas também", costumava lembrar Cotinha, "como é que ela vai se deixar beijar em pé na alameda das domésticas?".

Leninha não estava a fim de recordar o caso de Madalena, queria os detalhes da noite.

— Foi de língua?

— Você só pensa em maldade, Leninha! Deixa de ser indecente. Ele me respeita.

— Mas foi de boca aberta, pelo menos?

— Mais ou menos.

— Que que você sentiu? Ficou molhadinha?

— Ah, não, Leninha, para! Chega de indecência! Não respondo mais, vamos dormir.

Por causa dessa curiosidade, dessa mania de tudo perguntar, é que, quando muito mais tarde aconteceu "aquilo", Cotinha guardou o segredo só para ela. Já sabia as perguntas inconvenientes que a irmã bisbilhoteira ia fazer:

Por que foi em pé?

Porque, sua idiota, eu não ia me deitar no chão molhado de sereno, sujeito ainda a um sapo pular em cima da gente.

Florida, se não fosse a cidade das flores, do bom clima e do ar puro, seria então a cidade dos sapos. Com certeza, eles superavam em número os habitantes. Com uma diferença: na hora em que os moradores iam dormir, era quando eles saíam às ruas, principalmente na avenida Beira-Rio. Coaxavam desencontradamente, como uma orquestra afinando os instrumentos antes de um concerto que nunca começava. Aquela voz era tão presente nas noites floridenses que, embora estridente, fazia parte do silêncio noturno.

Se o barulho não chegava a incomodar, a presença desses personagens nos lugares mais inesperados dava sempre um susto. De vez em quando, ao se apanhar a chave embaixo da porta de casa, no escuro, lá estava um. O toque naquele couro ao mesmo tempo áspero e viscoso era repelente. Nossa vingança, pelo menos de algum de nós mais maldosos, era pegar um, enfiar-lhe um cigarro aceso na boca e deixar que ele tragasse até estourar. Nunca pude constatar se isso de fato acontecia porque, por medo e nojo, eu me afastava da brincadeira. Mas havia a lenda de que eles engoliam a fumaça até arrebentar.

Leninha ia querer saber mais, imagina se não ia. Perguntaria onde, como, exigindo todos os detalhes: "Como é que ele *conseguiu* com esse frio todo?" "Você não teve medo? "Doeu muito?" "Saiu muito sangue?" "Quantas vocês deram?" "Você teve prazer?" Sem falar que ia encher a irmã de remorso: "E se ele não se casar?" "E se você ficar grávida?" "Tem certeza que não tinha alguém escondido vendo vocês na hora por lá?" "Duvido que não tivesse alguém na calçada vendo tudo escondido." E ela responderia: "Que nada. Com aquela neblina, não dava nem pra gente se ver direito um ao outro."

Por isso, ela resolvera silenciar completamente sobre a noite em que "perdeu a honra" ou "o bem mais precioso de uma moça decente", como vivia lembrando sua mãe. Não que tivesse vergonha ou arrependimento. Ao contrário, faria o que fez quantas vezes o namorado quisesse. "Eu sou louca por ele. E sei que ele gosta de mim." Mas é que, sabendo, as pessoas iam odiar ainda mais o Douglas, achando que ele não procedera direito, abusara dela, quando na verdade ele apenas atendera ao impulso dos dois, talvez até mais dela do que dele.

A "noite de núpcias" fora evidentemente inesquecível, pelo que houve de entrega, mas não de prazer. Tudo aconteceu intempestivamente, sem preparação ou planejamento. O tempo estava tão úmido e enevoado que só alguns casais se aventuraram a sair. Postados nos cantos mais escuros, deles só se viam silhuetas e sombras se mexendo. A luz dos postes filtrada pela neblina formava um halo que não iluminava nem em volta e dava àquela paisagem noturna um ar fantasmagórico. Maldito clima. Não era mais o ruço, mas uma densa cortina de fumaça fria e molhada.

Douglas e Cotinha foram andando devagar até a avenida, começaram a se beijar e não se contiveram.

Ela sempre fantasiara viver aquele momento no conforto de um quarto de hotel de luxo, à meia-luz, o rádio tocando um bolero (em vez desse coaxar de sapos que parecia sonoplastia de radionovela), ela usando suas mais finas roupas de baixo. Não desse jeito, como dois animais, em pé, agarrados, como se estivessem lutando, as pernas dela fraquejando, bambas. "Fazer amor" era isso? Sentiu ódio da mãe, que se vangloriava de tê-las preparado tão bem para a vida. (Mas também, quem mandou perder a virgindade em pé na beira do rio Devagar? Não podia pelo menos ter esperado o verão?)

O vento glacial que batia em seu rosto também sacudia levemente as folhas da árvore debaixo da qual eles estavam. Depois de algum tempo, as gotas de orvalho encharcaram os dois, como se tivesse chovido. Ela queria algum consolo, uma palavra de carinho, pelo menos um "meu bem", como se acostumara a ser chamada por ele. Por que não agora, que ela necessitava tanto? Não se conformava que naquele ato não houvesse lugar para a ternura. Ela buscava se aconchegar nele, aquecer as mãos desprotegidas. Procurou beijá-lo na boca, mas ele evitava, precisava respirar, estava ofegante. Parecia muito ocupado com o que fazia para prestar atenção ao desamparo dela. Cotinha então colou a boca no seu ouvido e murmurou palavras de carinho, "eu te amo". Esperava que ele fizesse o mesmo, que ao menos dissesse "eu também", mas de sua boca só saíam sons guturais, abafados, irreconhecíveis. Ela teve muito medo: o homem que ela amava não era aquele que estava ali.

Indiferente ao frio, ele não cessava de penetrá-la, com força, quase com brutalidade. Em vez do sonhado êxtase de uma penetração suave e prazerosa, aquela perfuração abrupta. Ela gemia, torcia para que aquilo acabasse logo, que cessasse aquele padecimento. Seria ela frígida? Lembrou-se de que um dia ouvira escondida uma amiga dizer à sua mãe que na primeira noite chegara a desmaiar de prazer. E ela só sentia dor, dor física, junto com a dor da culpa. De vez em quando, olhava assustada para os lados: e se passasse alguém e parasse para observá-los? Muitos moleques iam para a avenida se masturbar escondidos, vendo sem serem vistos.

Sua cabeça vagava, não conseguia se concentrar. Não sabia se ia ter coragem de confessar o que estava acontecendo a monsenhor Teixeira. Não podia deixar de pensar no que sua mãe faria se descobrisse. Aquele era o pecado maior que uma moça como ela poderia cometer: entregar-se a um homem antes do casamento. E daquele jeito! Quando Douglas acelerou a cadência de seus movimentos e foi chegando ao final, arfando, seu corpo se contraiu e foi sacudido por seguidos espasmos. Então, soltou um grunhido surdo e respirou fundo, parecendo que ia perder o fôlego. Cotinha pensou que pudesse ser uma convulsão. Quando ele quis recomeçar, ela implorou: "Não, Douglas, por favor."

Agora estava ali, sangue e sêmen escorrendo pelas pernas, sem ao menos um lenço. Logo ela, tão asseada, tendo que pegar a calcinha molhada caída no chão para se limpar. Exausta e moída, enregelada, tremendo, com os cabelos pingando, no meio da neblina, mal vendo o rosto de Douglas à sua frente, ocupado em ajeitar a roupa, em se recompor, Cotinha começou a chorar baixinho, com pena de si própria. Sentia-se triste e ao mesmo tempo feliz.

Mais do que um ato de gozo, ela acabara de viver uma dolorosa cerimônia de sacrifício. Estranhamente, se sentia contente. Aquelas condições desfavoráveis, adversas, quase humilhantes, reforçavam a certeza do quanto o amava. Amava-o incondicionalmente, sobre todas as coisas. Houvesse o que houvesse, Douglas seria o homem de sua vida. Depositou suavemente um beijo em seu rosto e pediu:

— Estou cansada, me leva pra casa.

Douglas não disse nada, mas naquela noite tomou a decisão de se casar com Cotinha, contra tudo e todos.

17. O pedido da mão

Ao abrir a porta, tia Nonoca ficou paralisada. Sabia que devia ser alguém de cerimônia, porque amigo ou conhecido não batia, ia entrando. De dia, a sua casa não era trancada a chave, a exemplo das demais da cidade. De repente, diante dela, estava a visita mais indesejada que poderia receber. Se não tivesse sido apanhada de surpresa, simplesmente lhe daria com a porta na cara.

Em pé, com as mãos para trás e ar estudadamente cerimonioso, estava Douglas: sonso, fingindo respeito. Por um instante, os dois permaneceram imóveis, se encarando; eram duas feras se estudando antes do enfrentamento. Finalmente, ele fez uma leve reverência com a cabeça e se justificou:

— A senhora desculpe eu não ter avisado antes. Mas, se avisasse, não seria recebido, não é verdade?

Cotinha soubera escolher a hora mais propícia para o namorado visitar sua mãe. Não haveria ninguém por lá. O consultório estaria fechado e a empregada teria saído para as compras. A irritação de tia Nonoca aumentou ao perceber que tudo fora premeditado, e que a trama certamente fora urdida pela filha, detalhe por detalhe.

— Não seria recebido mesmo — ela respondeu. — O senhor é muito desaforado.

— Vim em missão de paz, dona Nonoca — anunciou, oferecendo um sorriso compreensivo.

Estava preparado para receber insultos. A proposta de trégua e reconciliação era calculada. Misturava cortesia e zombaria.

— A senhora permite que eu entre?

— Não. De maneira nenhuma. Fala daí mesmo.

Com a mão, ela segurou a porta e, com o pé, firmou-a embaixo, temendo sem razão que ele pudesse forçar a entrada. Se quisesse fazer isso, nada o deteria. Seria capaz de derrubar não só a porta, mas a parede.

— Pois bem. Já que é assim, vou direto ao assunto que me traz aqui: vim pedir a mão de Cotinha.

Era o que ela sempre temeu, que um dia isso pudesse acontecer. Mas não esperava que a ousadia dele chegasse a ponto de bater à sua porta, sem seu consentimento. Era uma declaração de guerra. As hostilidades estavam abertas.

— Se o senhor tivesse um pouquinho de consideração e vergonha não estaria aqui para realizar esse pedido.

Ele fez que não ouviu e deu prosseguimento à cerimoniosa encenação.

— Há anos que nos namoramos, a senhora deve saber, e agora queremos nos casar.

Evidentemente, ela sabia do namoro, mas queria, precisava acreditar que não era a sério, que um dia terminaria. Quantas colegas da filha não tinham vivido a mesma situação? Contrariando a opinião geral, ela achava melhor ter uma filha encalhada em casa, solteirona, do que nas mãos de um "desqualificado" como aquele. Era difícil imaginar um rancor tão tenaz.

— E o sr. acha que eu concordaria em entregar minha filha a um sujeitinho como você?

Douglas achou graça na mudança de tratamento, mas não demonstrou. Afinal, "você" era de fato mais natural num xingamento. Só o ódio justificava que ela o tratasse por "senhor".

— Desculpe, mas não vim discutir meus defeitos com você — repetiu de propósito o pronome você. — Sei que tenho muitos, mas gosto de sua filha e ela de mim, isso é que interessa.

— O problema é que o senhor só tem defeitos, o senhor não presta.

Já era uma agressão. Mas ele se preparara para aquele difícil encontro. Munira-se de paciência e do sorriso mais cordial de que era capaz. Conhecido por seu temperamento explosivo, era surpreendente a forma como revidou, com ironia, mas com serenidade.

— A senhora tem razão, não sou nenhum santo.

Fez uma pausa e escolheu cada palavra:

— Mas a senhora talvez também não o seja, não é verdade? E nem assim eu me ponho a falar de seus defeitos. Sua filha é testemunha: nunca saiu de minha boca qualquer comentário sobre a sua conduta.

Sublinhou a palavra "conduta". Conhecida na família como tendo "cabelo nas ventas", a reação de tia Nonoca não foi com palavras, mas com gestos: pegou a porta como se fosse uma arma e tentou arremessá-la sobre Douglas. Ele já devia estar esperando, porque esticou rapidamente a perna e amorteceu o golpe com o pé, impedindo que ela completasse a agressão. E revidou de maneira definitiva:

— O que eu quero lhe dizer, dona Nonoca, é que Cotinha é dona de seu nariz.

O que veio a seguir não era mais uma ameaça; era uma certeza:

— Vamos nos casar queira ou não você. Passar bem.

Só então ela fez o que tentara antes: bateu afinal a porta, e com tal força que um pedaço do emboço da parede se desprendeu e caiu no chão.

Como sempre acontecia quando era acometida desses acessos de fúria, ela correu para a cozinha e tomou um copo de água com açúcar. Mais do que raiva, sentia agora revolta. De tudo o que fora dito, o que a machucou mesmo foi a referência à "conduta". O "desgraçado" — assim costumava chamá-lo — ousara vir ameaçá-la na porta de sua casa. Sim, porque aquela insinuação continha uma velada promessa de chantagem.

Atrás do gesto aparentemente elegante de quem se recusa a usar uma informação contra a reputação de alguém, havia um recado implacável: que a futura sogra se lembrasse de que ele conhecia a sua "conduta", mesmo que isso significasse apenas o direito de uma viúva a uma vida sexual livre e independente. Mas seria só isso?

Outro recado não precisou ser dado: o de que ninguém impediria a união de Douglas e Cotinha.

Os meses seguintes foram de disputa surda e determinada. De um lado, tia Nonoca decidida a impedir aquele namoro. Do outro, Cotinha, cada vez mais firme, estimulada pela proibição da mãe. Era apenas mais um capítulo, o principal, dessa luta entre duas cabeças-duras que viviam medindo forças. Leninha não tomou partido, porque não ousava contrariar a mãe e nem gostava de desagradar a irmã. Mas, conhecendo tão bem as duas, não tinha dúvida de quem ganharia a batalha.

Por isso, começou logo a costurar às escondidas o seu vestido de gala para a cerimônia.

18. Carne de pescoço

Quando eu tinha 13 anos, voltamos a Florida não mais de férias, mas de mudança definitiva (será isso mesmo, 13 anos? Minha memória para datas não é confiável. Ainda bem que escolhi ser médico, não escritor). O certo é que meu pai trocara o emprego na Leopoldina Railway, em Bom Destino, pelo de pintor de parede, que lhe permitia mudar-se para a cidade onde nascera e crescera, permanecendo assim mais perto de seus parentes. Minha mãe, apesar de mineira, não tinha objeções à mudança.

Pouca coisa havia se alterado na cidade, que continuava exibindo o mesmo temperamento ciclotímico, de humor variável. No inverno, seus dias de céu azul e de sol, mesmo com frio de rachar os lábios e as costas da mão, eram luminosos e alegres, de esplendor único. Mas os dias cinza, aqueles em que a neblina, o famoso ruço, cobria as montanhas, cancelava os horizontes, apagava os contornos e fazia desaparecer o céu, substituindo-o por um toldo espesso e escuro, esses eram dias de melancolia e depressão. Eles serviam para aguçar certas indisposições do espírito. O ruço não era um estado da natureza, mas da gente.

No verão, Florida podia ser uma das melhores cidades de veraneio do país, mas às vezes a pior, quando a chuva caía inclemente por trinta dias sem parar, e o turista permanecia trancado no hotel ou na pensão, para não falar dos mais sacrificados, os jovens moradores que queriam namorar e não podiam sair de casa. Tudo bem que havia os cinemas e os clubes, mas havia também todas as donas santinhas exercendo rigorosa fiscalização. Com chuva, sem praça, sem Recanto das flores, sem avenida, acabava a liberdade.

Os floridenses dessa época não gostariam de ler essas restrições. O bairrismo deles era tão forte que um historiador da cidade criou a versão ufanista de que o estado americano se chamava Flórida, com acento no "ó", para se diferenciar da nossa Florida na serra fluminense. Quando alguém escreveu um artigo no *Correio Serrano* contrariando essa tese fantasiosa e informando que a forma proparoxítona fora usada muito antes, viu-se acusado de "deturpador de nossas tradições".

Com tudo isso, como era bom voltar à cidade!

Quase não reconheci tia Nonoca. Não tanto pela quantidade de cabelos brancos que tomaram conta de sua cabeça, mas pelos dois sulcos fundos que passaram a ligar a base do nariz aos cantos da boca. Mais do que registros do tempo, eram as marcas dos aborrecimentos causados pelo namoro de Cotinha. A pele clara, lisa, tão viçosa dois anos atrás, começava a ser crestada pelas rugas. Abandonara finalmente o luto e o coque, soltara a basta cabeleira, adotara os vestidos coloridos, e no entanto parecia muito mais velha e triste. Reprimi a vontade de lhe anunciar a alegre novidade de que havia deixado de fazer xixi na cama! Restava agora o outro segredo, o dela.

Eu estava mudando de voz. Às vezes falava fino, em falsete, e, logo em seguida, grosso, numa alternância de decibéis meio ridícula que era motivo de gozação de meus primos. Mas senti que já estava "quase um homem", como disseram Cotinha e Leninha, quando elas, que sempre me trataram como criança incapaz de sustentar uma conversa, me receberam fazendo confidências e desabafos sobre a mãe.

— Ih, rapaz — me disse Leninha em meio a uma gargalhada — Não há Regulador Gesteira que dê jeito.

— Está insuportável — acrescentou Cotinha — Eu que o diga.

— Como vai o namoro? — perguntei.

— Cada vez gosto mais do Douglas — se apressou em responder — O problema é que mamãe gosta cada vez menos — riu, sem esconder a tristeza.

Contou então como minha tia continuava a espioná-la.

— Vivemos como dois fugitivos, nos escondendo pelos cantos. Mas isso só aumenta o nosso amor.

Ainda bem que havia pessoas na família que a ajudavam, acrescentou. Não que estivessem a favor do namoro ou que gostassem do Douglas, dele ninguém gostava, mas não concordavam com a maneira como minha tia a tratava. Tia Aurora chegou a chamar a irmã ao juízo:

— É preferível ela se casar com quem gosta e que gosta dela do que ficar passando de mão em mão.

A advertência não chegou a surtir efeito. No fundo, tia Nonoca achava que de mão em mão ou na mão de Douglas não fazia muita diferença. Em compensação, também não fazia diferença, ou pelo menos era ineficaz, sua oposição ao namoro. Ao contrário, talvez por acontecer sempre às escondidas, transformando cada encontro numa aventura, resultava mais fortalecido.

A cada dia que conversavam, rápida e furtivamente, ela encontrava razões para gostar mais dele, de sua delicadeza, do carinho como a tratava. "Ele é o homem mais delicado do mundo, Leninha!", vivia dizendo. Não entendia por que a mãe o odiava tanto.

"Vagabundo, mulherengo e jogador"? Mas vagabundo tio Chiquinho também era. Nunca havia trabalhado, vivia às custas de tia Aurora, e toda a família gostava dele por ser uma "boníssima pessoa". Quer mais mulherengo e jogador do que Jair? Trazia mulheres da zona de Campos, apresentava--as como noivas, hospedava-as na casa de tia Edith e ia jogar no cassino. Quase todo verão fazia isso. "Lembra-se do dia que levou uma para apresentar à vovó?" No entanto, as tias o adoravam. Douglas não é pior do que eles, pensava Cotinha. Por que então aquele ódio irracional que a mãe lhe devotava? Não conseguia entender.

Às vezes sentia vontade de mostrar a ela como Douglas mudara. Desde que o dr. Amadeu lhe arranjara aquele emprego fixo na Polícia, ele andava na linha, não bebia e era respeitador. O próprio dr. Amadeu prometera fazer dele "um grande policial".

Recusava-se a tomar a iniciativa da conversa, porém. Para o seu orgulho, isso soaria como pedido de trégua ou capitulação naquela guerra surda entre as duas. Não era como Leninha, que vivia adulando a mãe e buscando sua aprovação para tudo. "A sra. deixa eu ir ao baile?" "Posso passear na praça?" "Que tal esse vestido?" Ah, não, não se prestava a esse papel, não chaleirava mesmo.

— Mamãe é teimosa — dizia Cotinha —, mas eu sou carne de pescoço. Vamos ver quem vence.

Podia sair de casa ou até fugir, como o namorado chegou a propor. "Não sou criminosa pra fugir", recusou indignada a ideia. Além disso, sabia que tinha a seu favor o tempo. Faltava pouco para atingir a maioridade, e aí ninguém poderia impedi-la de casar.

A diferença entre as duas é que ela era teimosa e paciente. A mãe era só teimosa.

19. O casamento

O casamento de Douglas e Cotinha, no qual muitos já não acreditavam mais, realizou-se finalmente às seis da manhã de uma sexta-feira na igreja matriz, e às 11 no cartório. Não teve festa, doce, nada. E muito pouca gente na igreja, como ele exigira: além de Lena e Celeste, só dona Ercília e seu Chichico, padrinhos da noiva, Mariana, a amiga encalhada, e o irmão dele, Tony. Um pequeno incidente logo no início deu o tom da cerimônia: Anita, amiga de infância da noiva, compareceu sem ser convidada e enfrentou a hostilidade do noivo:

— Você não manda na Igreja e eu vou ficar.

— Contanto que não chegue perto de nós — ele a ameaçou, e ela entendeu que podia permanecer, mas não devia cumprimentar a amiga.

O casal já estava se preparando para subir ao altar quando Douglas se deu conta de que havia esquecido as alianças em casa. Pediu que avisassem ao padre Teixeira que ia se atrasar, saiu às pressas, foi até sua casa, mas não lembrava onde as tinha deixado. Revirou gavetas, mexeu nos bolsos e nada.

Na igreja, as pessoas começaram a se inquietar. A primeira a cochichar sua suspeita foi Leninha: "Você não acha que o Douglas está demorando demais?", perguntou à sua prima, sentada ao lado. Sem muita convicção, Celeste respondeu: "Mas ele mora longe." "Por que ele não pediu a alguém para ir buscar pra ele?" Tony, o irmão, não estava menos preocupado: "Mas como é que um noivo esquece as alianças?", comentou com a noiva.

Só Cotinha mantinha-se tranquila. Percebendo o que passava pela cabeça dos presentes, ela procurou acalmá-los: "Gente, o Douglas é muito esquecido, mas ele volta logo."

Além da desconfiança de que se estava diante de um daqueles golpes típicos de arrependimento em cima da hora, quem teria a coragem de comunicar o que estava acontecendo ao padre Teixeira na sacristia, já que às sete horas impreterivelmente começava a primeira missa do dia? A própria Cotinha tomou a iniciativa:

— Se você acha que ele vem mesmo... — duvidou o padre, participando também da desconfiança geral — mas só espero mais uns minutos.

Ninguém conseguia mais esconder a apreensão, quando Douglas finalmente chegou esbaforido, exibindo satisfeito as duas alianças. Já eram 6h50 e o sacerdote, em pé, paramentado, aguardava impaciente. Foi provavelmente o mais rápido casamento jamais feito na cidade. Ainda bem, porque o frio que entrava pelas frestas das portas estava dificultando os gestos, impedindo até cruzar os dedos para rezar.

O padre foi logo perguntando se Douglas estava disposto a receber Maria Clara como legítima esposa, ele disse que sim, e ele então perguntou se ela estava disposta a receber Douglas como legítimo esposo, ela disse que estava e se os dois juravam fidelidade um ao outro, prometendo viver juntos até que a morte os separasse. Os dois repetiram o que o padre disse.

Fingindo contrição, Leninha na verdade não conseguia prestar atenção na cerimônia. Não ouviu sequer o que o padre falava. O motivo dessa desatenção estava sentado no banco paralelo ao seu, do outro lado. Era Tony, o irmão de Douglas, um rapaz louro, alto, bonito, cujo olhar provocou nela uma perturbação desconhecida. Entreolharam-se rapidamente algumas vezes.

Ao lado, Mariana começou a fungar e alegou que o nariz estava escorrendo por causa do frio. Lena disse pra ela não dar vexame, "contenha-se, já imaginou você chorando aqui na vista de todo mundo? As pessoas vão achar que você está chorando porque tem medo de nunca se casar, não porque está comovida". "Tem razão, mas agora disfarça e olha pra ver quem está lá atrás."

Só podia ser ela, Santinha, que vai dizer que chegou mais cedo para a missa das sete e acabou assistindo à cerimônia. — Amanhã — sussurrou Leninha — Florida toda vai estar sabendo como foi o casamento, que o vestido da noiva era um mantô para esconder alguma barriguinha incipiente e que o noivo na última hora tentou fugir dando a desculpa de que esquecera a aliança.

Dane-se! E Leninha olhou de novo para o lado. O rapaz louro também, e foi justamente no momento em que o padre benzia os noivos e pedia que um pusesse a aliança no dedo do outro. Não teve dúvida então de que estavam flertando e que ela, que já tinha flertado tanto, nunca flertara daquele jeito. Mas quando casasse não queria que fosse como a irmã, coitada, feito uma mulher de má conduta, quase às escondidas, numa hora em que ninguém casava, ah, não, assim ela preferia ficar solteira. Será que o rapaz está olhando de novo? Tomara que esteja. E estava. Ele sorriu e ela também. Mariana percebeu e perguntou baixinho se ela estava flertando com aquele louro lindo e quem era ele que ninguém tinha visto em Florida. Lena fez psiu e disse que não estava flertando, apenas olhando, e que tudo não passava de coincidência.

Com pressa para começar a missa das sete, o padre encerrou logo a cerimônia avisando que os noivos receberiam os cumprimentos do lado de fora da Igreja. Quando Lena chegou na porta, Tony veio ao seu encontro estendendo-lhe a mão: "Lena, gostaria de te convidar para tomar um café comigo uma hora dessas." Nos dias seguintes, ela se odiou por ter ficado tão transtornada com o convite, só conseguindo balançar a cabeça pra cima e pra baixo. "Ele deve ter me achado uma bobalhona", ficava repetindo. "Eu ali estatelada sem conseguir dizer nada. Por que o olhar dele me desnorteava tanto?" Desvencilhou-se do cumprimento de Tony e nem quis participar do lanche que seria oferecido aos noivos por dona Ercília, ex-professora das duas irmãs, enquanto aguardavam o casamento civil, no cartório, às dez horas.

Foi direto para casa, já pressentindo o que ia encontrar: a mãe prostrada por uma daquelas suas enxaquecas. As cortinas cerradas, o quarto na penumbra e o cheiro forte de pomada de beladona que usava contra dor de cabeça, eram o sinal de que tia Nonoca se encontrava em plena crise.

— Como é que a senhora está, mamãe?

— Como poderia estar?

Cada palavra saía arrastada por um gemido. Leninha já conhecia a cena, sabia que havia muito teatro, mas não deixava de ficar tocada.

— Ânimo, mãezinha, afinal não morreu ninguém.

— Foi como se tivesse morrido.

— Se fosse eu, a senhora não estaria sentindo tanto.

Os olhos de Lena já tinham se acostumado à escuridão do quarto o suficiente para notar que a mãe subitamente se sentara na cama.

— Não diga uma coisa dessas. O que me mantém viva é a certeza de que você jamais me dará um desgosto.

— E desde quando casamento significa desgosto, mãe?

— Desde quando uma filha é capaz de contrariar sua mãe para se casar com um tipo desqualificado?

Leninha não queria revelar o quanto ainda estava impressionada com a visão que tivera na igreja, mas também não conseguia reprimir a vontade de dizer com quem ela se encontrara. Tomou coragem e comunicou:

— Mãe, fui apresentada ao irmão de Douglas — não ousou falar do convite.

— E você não lhe virou a cara?

— Claro que não, mamãe, ele me pareceu um rapaz fino e educado. Completamente diferente do irmão.

— O sangue é o mesmo, os pais são os mesmos, cada um mais degenerado do que o outro, e você vem me dizer que são diferentes!

— Eu disse que pareciam diferentes.

— Você fez muito mal em cumprimentá-lo. Devia ter deixado claro que tem a cabeça no lugar, não é como a doente da sua irmã.

— Engraçado. A senhora não admite que os dois irmãos sejam diferentes de índoles, mas nós duas podemos, né?

— Eu não quero mais saber dessa conversa, minha cabeça está estourando. Só quero que você saiba de uma coisa: se cumprimentar mais uma vez esse outro patife, você não terá mais mãe e eu não terei mais filha. Olha o que estou te dizendo.

A cerimônia do cartório demorou menos ainda do que a da igreja. Algum desavisado entrando ali na hora confundiria aquele casamento civil com a assinatura de uma certidão de compra e venda de uma casa. Em menos de meia hora estava tudo resolvido. Antes de pegarem o trem para a lua de mel no Rio, presente do dr. Amadeu, Cotinha resolveu dar uma passada em casa e comunicou a Douglas o que ia fazer. Não gostou quando o marido fez uma brincadeira de mau gosto: "Cuidado pra ela não te morder! Cuidado com o veneno."

— Mamãe, vim aqui tomar sua bênção.

Desarmada, tia Nonoca se tornava mais agressiva ainda.

— Você tinha é que tomar vergonha.

Talvez pela primeira vez na vida, Cotinha não revidou com uma má-criação a uma rispidez da mãe.

— Queria pedir perdão à senhora, não por ter cometido qualquer pecado, mas por fazer a senhora sofrer. Juro que não queria isso.

Com essas palavras e uma insuspeitada ternura na voz, Cotinha desmontara todo o sistema defensivo da mãe, que se baseava no contra-ataque. Apanhada de surpresa, sem saber o que dizer, tia Nonoca se limitou a estender a mão para a filha beijar.

Nunca eu soube direito se o que fazia minha tia sofrer era a possível infelicidade que o casamento causaria à filha ou ter sido contrariada, ter perdido a autoridade. Ver a desobediência se impor, a desmoralização diante das amigas e dos parentes, assistir impotente à revogação de suas ordens, tudo isso era demais para seu amor-próprio.

20. Um gosto de fel

Leninha teve uma noite desconfortável por causa do frio e das lembranças da véspera. Não se recordava de um dia tão carregado de emoções. O casamento de Cota, os olhares de Tony, a conversa com a mãe. Surgia tudo ao mesmo tempo, como sonho e pesadelo. Os olhares dele tão ternos, a maneira carinhosa de segurar sua mão, aquele rosto de beleza estonteante, eram de repente substituídos pela voz da mãe, cheia de ameaças e chantagem.

Acordou sem decisão. Tremia só de pensar na hipótese de que sua mãe pudesse vir a descobrir. Ao mesmo tempo, um impulso desconhecido parecia empurrá-la irresistivelmente na direção daquele homem quase estranho e que tanta atração estava exercendo sobre ela. Pegou de novo o bilhete que Mariana lhe entregara na véspera e leu: "Eu deveria voltar ao Rio hoje, mas resolvi ficar para me encontrar com você, nem que seja por alguns poucos minutos." Terminava pedindo que não lhe fosse negado "esse favor" e informando que às dez da manhã estaria no banco da praça em frente à Favorita.

Faltavam, portanto, uns vinte minutos quando Leninha anunciou que precisava dar um pulo na banca da praça para comprar uma revista de moldes.

— E precisa se emperequetar toda para ir ao jornaleiro? — desconfiou a mãe.

— É que vou passar também na Escola Pratt pra ver se o meu diploma está pronto.

Havia uma semana que ela terminara com brilho o curso de datilografia. Ninguém batia à máquina com tanta rapidez com os dez dedos.

Era uma boa desculpa até para ela mesma. Quem sabe não desistia de encontrar Tony? Ela tinha tempo. Podia passar na escola, comprar a revista e, em vez de andar um quarteirão, voltar para casa. Saiu da loja de jornais do seu Carrielo e já ia em direção à casa, quando sentiu que sua vontade estava sendo dominada pelo desejo de ir ao encontro marcado.

"Como ele é bonito, meu Deus!", pensou Leninha ao vê-lo se levantar para recebê-la.

— Que bom que você veio!

— Mas vim só pra dizer que não poderemos nos encontrar mais.

Não havia nenhuma convicção nesse aviso, mas Tony fingiu acreditar que era sincero.

— Eu sei que você, sua mãe, a família toda tem razão de desconfiar de mim por eu ser irmão do Douglas.

Leninha fez cara de espanto. Não estava preparada para essa confissão. Notou então que só agora ele soltara sua mão, prolongando o quanto pôde o cumprimento. Sentaram-se e ele foi logo dizendo:

— Se fosse sua mãe, eu seria também contra esse casamento. E olha que sou seu irmão.

— Pois é, imagina se não fosse.

Por alguns segundos ela ficou em dúvida se estava diante de alguém capaz de colocar a honestidade acima dos laços sanguíneos ou de um irmão com vocação de Caim.

— Vou ser sincera, Tony, mamãe jamais aceitaria um outro Kendery na família, mesmo que fosse o oposto do primeiro.

— Entendo, mas...

— E eu jamais faria alguma coisa que desagradasse ela.

— Eu queria pelo menos a oportunidade de mostrar à sua mãe o quanto sou diferente.

— Não insiste, Tony, por favor.

Ao contar depois essa conversa à tia Celeste, as duas riram muito porque Leninha intercalava o que dizia com o que pensava e não dizia: *Ah, meu Deus, como é lindo! Se essa mão roçar mais uma vez na minha, eu desmaio. Olha mais uma vez assim pra mim, Tony, que largo tudo e fujo com você.*

— Você me desculpe, mas eu vou insistir — ele disse com firmeza, percebendo que Leninha se levantava para ir embora.

Leninha e suas amigas gostavam de brincar do que chamavam "e esse aí?". Passava um rapaz, elas se faziam a pergunta e iam respondendo: "Esse só para ir ao cinema." "Esse é para passear e ser exibido na praça." "Esse para ser o primeiro e desobstruir o caminho, nada mais." Se naquele momento fizessem a pergunta à Leninha, ela não hesitaria em responder que Tony era tudo aquilo e muito mais: "É para casar e ter muitos filhos, iguais ao pai."

Suas amigas não iam acreditar. Ela, a tão exigente, a primeira a ver sempre um defeito, a que procurava um homem perfeito, tinha finalmente encontrado o príncipe encantado depois de alguns olhares na véspera e de 15 minutos de conversa num banco da praça.

Por intermédio de Mariana, Tony mandou algumas cartas para Leninha, que não respondeu. Por três vezes, voltou a Florida sem conseguir vê--la. Na quarta vez, eles se encontraram por acaso na matinê dançante do Hotel Floresta.

Tia Celeste, que a acompanhava na mesa, esperando que alguém a tirasse para dançar, foi quem notou a alteração do rosto de Lena, antes mesmo de perceber quem chegava. "O que foi, Lena?, você ficou estranha." Não houve resposta porque nesse instante Tony já estava em pé diante da mesa, convidando Lena para dançar.

Ela se esforçou tanto para não deixar que ele percebesse seu estado de perturbação que nem respondeu ao "como é que você está?" que ele lhe dirigiu. Deixou-se abraçar e seu corpo mignon desapareceu entre os fortes braços de seu par. Encostou a cabeça no peito de Tony, e o enlevo fez o resto. Nunca soube, a não ser porque tia Celeste contou, quantas músicas dançou naquela tarde e nem durante quanto tempo. Só se lembrava que a primeira música fora o bolero *Besame mucho*.

Uma sensação, porém, ficou não propriamente na memória, mas na carne. Foi quando, contendo-se para não deixar transparecer sua excitação, ela percebeu a dele — crescente, inconfundível. Só então se deu conta de que estava dançando colado pela primeira vez, ela, que havia desenvolvido toda uma estratégia para situações como essa. Numa ocasião, ali mesmo no Floresta, ao sentir que uma cena parecida começava a ocorrer, ela disse para o par: "Você está com uma caixa de fósforo no bolso me incomodando." Ele ficou tão sem jeito que não conseguiu mais acertar o passo, aliás, não só o passo.

De repente, Leninha se desembaraçou dos braços de Tony e voltou para a mesa. "Tia Celeste, vamos embora agora." Tony alcançou-a na porta, já do lado de fora.

— Por favor, Leninha, vamos conversar um pouco aqui.

— Por amor a tudo que lhe é mais sagrado, não me procure mais. Vai embora e não volte.

Havia tanto medo, convicção e desalento no pedido, na verdade, uma ordem, que Tony ficou paralisado diante da mudança repentina de humor. Aquela não era a moça jovem e dócil que há pouco ele carregara nos braços pelo salão.

— Está bem, Lena. Se é assim, sua vontade será feita.

Leninha não conseguia odiar ninguém, muito menos sua mãe. Não era ódio o que sentia, mas um sentimento semelhante, e pior, porque não despertava nenhuma vontade de reagir — de gritar, xingar, discutir, de resistir enfim. Tudo o que sentia voltava-se contra ela mesma. Era pena, compaixão, sensação de injustiça e incompreensão, uma mistura de rancor e resignação a que ela tinha dificuldade de dar um nome, mas cujo gosto imaginava ser o de fel. Naquela noite, e em muitas que viriam, esse gosto não a deixou dormir direito. Mas nem assim tornou-se amarga.

21. A viuvinha

Ao nos mudar para Florida, fomos morar bem no alto do Morro dos Cabritos, em meio a poucas casas e muita tranquilidade, até demais. O único inconveniente era deixar a chave debaixo da porta e, na volta, ao tentar pegá-la no escuro, tocar num sapo. Era uma providência desnecessária porque não havia roubos, e os furtos, insignificantes. Os ladrões de galinha que existiam faziam jus ao nome: eram só ladrões de galinha. Era uma cidade sem malfeitores públicos.

O primeiro emprego durou pouco, naquele laboratório de prótese dentária que, como se soube depois, era um antro de tuberculosos. Como eu queria continuar estudando, meu pai decidiu então que eu iria trabalhar como seu auxiliar, raspando as paredes para ele pintar, tudo sob os protestos de minha mãe, que queria os filhos só na escola. Não era insensibilidade de meu pai, mas necessidade. Ele sabia o quanto custava sustentar mulher e quatro filhos, embora a esposa desse sua contribuição lavando roupa para fora.

Embora tivesse que levantar muito cedo e o serviço não fosse dos mais leves e agradáveis, pois respirava pó o dia inteiro, eu tinha a vantagem de trabalhar com meu pai, seu irmão Joaquim e o filho deste, meu grande amigo Emílson, que era considerado por minha mãe uma péssima companhia para mim.

De fato era. Cinco anos mais velho e cem vezes mais experiente e mais vivido sentimental e sexualmente, ele foi o meu preceptor. Graças a Emílson, perdi a virgindade e a vocação para padre, tudo ao mesmo tempo. Para mamãe, a pior perda foi a última.

Mal eu havia chegado e ele cismou de me levar à zona. "Você precisa virar homem!" Achava uma vergonha eu nunca ter ido lá. Na minha idade ele já a frequentava e hoje ostentava status de cafetão com mulher fixa, sem pagar. É bem verdade que aos 12 anos ele já tinha um começo de barba e agora, aos 16, passava por muito mais velho, já tendo contraído todas as doenças venéreas e afins que a Vila Alegre fabricava: gonorreia, sífilis, chato, cancro mole e duro, herpes genital. Emílson me ensinou a jogar sinuca, a roubar botões dos casacos de nossas tias para compor os nossos times e, sobretudo, a me masturbar sem culpa. Convenceu-me de que a prática não me faria ficar tuberculoso nem causaria o crescimento de cabelo na palma da mão, como eu aprendera no colégio dos padres. Foi ele também que me forneceu as primeiras histórias obscenas do autor e ilustrador pornográfico Carlos Zéfiro.

A ideia que tinha para mim não ia revelar agora. "Espera, você vai ver."

A aventura foi um fiasco.

O Beco da Vila Alegre tinha um pouco mais da largura de meus braços abertos. De um lado, um bar, uma oficina de conserto de sapatos e uma quitanda. Do outro, quatro casas residenciais. O Beco, que começava na rua Oliveira Viana, era curto também em comprimento, terminando numa pequena elevação, onde fora construída a principal casa do conjunto, com uma meia dúzia de janelas, cada uma dando para um quarto. Nela, chamada de "Casa da dona Edith", se hospedavam as meretrizes ou "mulheres da vida", numa convivência harmoniosa com os moradores vizinhos.

Pelo plano de Emílson, ele entraria e eu ficaria de fora, escondido no escuro, atrás da grande mangueira, até que a luz do terceiro quarto, para onde ele iria com sua amante, fosse acesa. Pela fresta da janela eu assistiria à exibição que ele faria especialmente para mim. Sem perigo, na maior tranquilidade. Ele achava que, antes de me iniciar na prática, eu deveria aprender vendo.

Vi muito pouco. Emílson tirou a roupa, ela acendeu o abajur lilás e começou a tirar a dela, quando ouvi um grito feminino, de espanto: "Que que você tá fazendo aí, seu pirralho sem-vergonha?

Vou te levar pra delegacia e chamar seus pais, ah vou!"

Era a própria dona Edith.

Como vocês devem se lembrar, eu já vivera uma cena parecida no fundo de uma farmácia. Agora no fundo de uma zona. Era demais! Nessa noite eu decidi que agora nada nem ninguém me convenceria a ver outra cena de sexo na família, fosse de tia ou de primo.

Na mesma velocidade que desci o morrinho da Vila Alegre, subi os outros três que me levavam até minha casa. Cheguei esbaforido, humilhado, odiando meu primo. Durante três dias neguei-lhe a palavra, mesmo trabalhando lado a lado, ele dando a primeira demão nas paredes que eu lixava. Ele falava e eu não respondia.

No quarto dia, ainda estava escuro, não eram seis horas, e ele apareceu na minha casa a pretexto de ir comigo e meu pai para o trabalho. Perdera o sono, acordara mais cedo e queria aproveitar para a gente ir conversando. Surgira uma outra ideia para mim. Ele tinha sempre uma ideia para mim. Dessa vez jurava que ia dar certo. Resolvi lhe dar mais uma chance.

Se nas memórias daquela época predominam os temas e principalmente as fantasias sexuais, é porque de sexo eram feitos nossas conversas, nossos sonhos, nossa obsessão. Falávamos de sexo mais do que fazíamos. Não que não fizéssemos. Fazíamos — com a gente mesmo, com a cachorra de casa ou com uma égua nas férias da fazenda, eventualmente com a "negrinha" empregada e quase sempre com a Viuvinha, misteriosa Viuvinha, iniciadora sexual de várias gerações.

Ela era a surpresa que Emílson me reservara. Devia ter seus 40 anos, mas parecia mais. Atendia atrás de um muro, lá no Recanto dos Amores, na parte menos iluminada. Não discutia preço, o freguês dava o que quisesse. Mas tinha uma condição: só trabalhava em pé, mesmo quando lhe propunham forrar o chão com uma capa. Dizia que era para não engravidar e que, graças ao método, nunca praticara aborto.

É muito provável que, mais do que precaução, a posição fosse uma preferência. Tanto que ela nem queria ouvir o argumento da camisinha.

— É assim, se não quiser vai embora que tem gente esperando.

Baixinha, ela demandava dos parceiros mais altos um esforço que não raro os deixava com cãibra nas pernas. Viuvinha seria um breve contra a luxúria, se naquela idade precisássemos de estímulos de fora para nos excitarmos. Nossos hormônios se encarregavam disso. Ela não se deixava beijar, não permitia carícias e exigia tratamento respeitoso até nas horas de arrebatamento. Nada de intimidades. Freguês nenhum a chamava de "você". Eram comuns diálogos como o que ocorreu na noite de minha iniciação.

— Tá demorando muito, menino, vamos logo.

— Desculpa, mas se a senhora me apressar é pior.

22. Um mundo verde ou vermelho

Morando no Morro dos Cabritos e estudando à noite, eu podia chegar tarde em casa e assim frequentar a roda que se formava em torno de Pepe, depois que ele fechava a sorveteria. Eu tinha a desculpa das aulas, e meus pais nunca souberam a que horas elas de fato terminavam e nem quantas eu matava por semana.

Naquela roda, falava-se da vida alheia — o escândalo do dia, quem estava namorando quem; quem tinha comido a mulher de fulano; o último de nós que tinha pegado gonorreia na casa de dona Edith. Pepe contabilizava as proezas sexuais da cidade. Era capaz de apontar as moças que haviam deixado de ser virgens, e, como era difícil provar o contrário, a sua lista valia como um atestado passado em cartório. O sexo, claro, estava sempre presente. Mas discutia-se muito também a Segunda Guerra. Leleco, comunista filiado ao partido, junto com mais uns quatro amigos, ouvia em ondas curtas a rádio de Moscou e a BBC. O grupo se reunia bem em frente à Favorita, quase na esquina da rua Monsenhor Miranda.

Mas havia outra turma que se juntava bem distante dali, no largo dos Holandeses, perto da casa de Joel, em torno de quem havia um pequeno círculo de admiradores, uma espécie de clube de iniciados, um culto a quem se dizia "socrático". Não sabíamos o que significava, mas varávamos madrugadas ouvindo suas extravagâncias. Era autodidata e erudito, pelo menos para os nossos padrões. Começou lendo *A história da filosofia*, de Will Durant, e acabou devorando a obra de Schopenhauer, de quem seguia os ensinamentos. Com ele, Emílson aprendeu a tocar violão e eu tentei aprender um pouco de Nietzsche. Dono de uma memória prodigiosa, ele declamava poemas enormes e repetia trechos dos filósofos.

Vivendo às custas de uma pensão da mãe viúva, não tinha emprego nem obrigações, horários ou formalidades, debochando das convenções sociais. Vivia fazendo o elogio da masturbação: "Sou um onanista!", anunciava, mas poucos sabiam o que queria dizer. Não aceitava autoridade, nem do saber, e por isso não frequentara a escola, era autodidata. Classificando-se como nietzschiano por influência de Schopenhauer, levava uma vida de ascetismo e desprendimento. "Sou livre!", costumava gritar de noite pela avenida, assustando os casais que se escondiam lá para namorar. "Não tenho nada que me prenda! Não tenho ilusões, não tenho esperança. E Deus está morto!"

Joel submetia o corpo a uma disciplina ascética. Não comia carne, fazia exercícios com pesos e nadava todos os dias, mesmo que o frio estivesse a zero grau. Como às seis da manhã o Atlético Clube ainda estava fechado, ele pulava o muro e ficava cruzando os 25 metros da piscina durante duas, três horas. Suas excentricidades lhe valeram o apelido de "Joel maluco". Ele fazia por onde. Era capaz de acender uma fogueira com o violão porque desafinou. Ou andar nu pelas ruas da cidade tarde da noite. Feio, baixo, atarracado e forte, usava sua feiura para amedrontar as crianças, que fugiam dele à distância. Com um esgar e um jeito especial de arregalar os olhos, deformados pelas lentes fundo de garrafa, obtinha um efeito que conseguia aterrorizar não só as crianças. Mais impressionante ainda era o seu riso histérico, interminável, que se fazia ouvir ao longe.

Numa madrugada muito fria ele ameaçou me matar. Estávamos os dois sentados num banco do largo conversando, quando de repente ele confessou, encarando-me estranhamente, que estava sendo possuído por um impulso irrefreável de me estrangular. "Eu não sei se vou me controlar", confessou. Não por coragem, mas por paralisia, não reagi. Fiquei imóvel. Gelado de frio, eu suava de medo. Mas ouvi a ameaça com fingida naturalidade. Só Deus sabia como. Suas mãos foram avançando, avançando em direção ao meu pescoço até o envolverem. Aí pararam. A encenação terminou com a sua tão conhecida gargalhada — gargalhada de louco, como se dizia na cidade. Era um teste de coragem e eu tinha sido aprovado. A notícia se espalhou e a partir daí passei a ser um dos membros mais respeitados do círculo. Em filosofia, zero. Mas em (fingido) destemor, dez.

Eu frequentava os dois grupos; às vezes na mesma noite, principalmente depois que comprara uma bicicleta de segunda mão com o meu primeiro salário pago por meu pai. Tremendo de frio, com os dentes batendo sem parar, as mãos quase dormentes, os olhos lacrimejando, aquele vento cortando o meu rosto e aquela fumaça que saía da boca como se a gente estivesse fumando, lá ia eu. Eu soprava o vapor fazendo de conta que era fumaça de cigarro. Era uma viagem que tinha tudo para ser desconfortável, até penosa, e no entanto era uma sensação de liberdade só comparável à que eu tivera ao deixar o colégio dos padres. Se algum dia me senti completamente livre foi em cima daquela minha primeira bicicleta.

Uma noite, Joel apareceu na roda de Pepe com uma notícia que escandalizou todo mundo: "Ontem, eu perdi minha virgindade!" Toda a turma quis saber como e com quem. Feito o silêncio e criado o suspense, ele respondeu:

— Com minha prima de 12 anos.

Já se sabia que, em tese, Joel defendia a pe-
dofilia e o incesto, tanto que ficou amigo do casal
misterioso, recém-chegado que, segundo as más-
-línguas, eram irmãos e dormiam juntos. Não se
sabia se era verdade, Joel dizia que sim e lhes dava
o maior apoio. "Eles fazem muito bem. Comer
irmã deve ser ótimo. Infelizmente, não tenho nenhuma, então comi a prima."

— Mas 12 anos! — gritou Samuel, católico
e moralista.

Para irritá-lo ainda mais, Joel fingiu acreditar que ele estava achando muito:

— Mas é conservada.

Samuel retirou-se indignado.

— Sempre soube que você era maluco, mas
não tarado.

— Espera aí, não vai, não. Você sabe quantos anos tinha Beatriz quando Dante se apaixonou
por ela? Nove anos. E Laura, de Petrarca? Treze
anos incompletos. Deixa de ser hipócrita. Vai dizer
que nunca quis comer uma menininha, Samuel?

Pepe, que não lia por inteiro nem jornal e
nunca fora além da praça, orgulhando-se das duas
coisas, quis saber:

— E onde estão morando esses dois outros
tarados, Joel?

O que acontecia fora — no Rio ou até no mundo
— chegava a Florida, não é que não chegava, ainda

que lenta e fragmentadamente. Mas faltava repercussão local, as ideias e informações não eram discutidas no colégio, em casa ou no jornal, ou eram muito pouco, quase não produziam efeito. Aquele pedaço em frente à Favorita funcionava como a nossa ágora. As novidades provocavam no grupo grande excitação mental. Havia noites em que as discussões ameaçavam degenerar. Principalmente quando aparecia por lá meu primo Ari, o "galinha verde", como o chamava Leleco, que por sua vez era chamado de "bode vermelho". Mais velho que Emílson e recém-casado, era saudado pelo grupo com brincadeiras indiscretas pelo fato de deixar a mulher sozinha em casa nem bem terminara a lua de mel. Ari defendia a tese de que o Brasil deveria entrar logo na guerra ao lado do Eixo, porque, segundo ele, os alemães seriam os vitoriosos. Ele pertencera à Juventude Integralista e chegara a desfilar com a camisa verde com o sigma bordado na manga. Tinha um carinho especial por mim, e logo depois eu soube por quê.

Conhecer sua casa foi uma experiência alucinante. Em homenagem à cor do integralismo, ela era toda verde. Verdes eram as paredes, verdes também a poltrona e o sofá. Verde-claro a roupa de cama e verde-escuro o grande vaso com as plantes verdes. Verde era até o urinol, e isso foi o mais difícil de conseguir, conforme me revelou. Mostrado com orgulho por ele, o ambiente me causou uma espécie de vertigem verde que me embrulhou o estômago. O que deveria ser um começo de conquista — "O Manuéu tem que ser integralista", ele dizia para meus pais — acabou tendo efeito contrário: uma repulsa física depois da visita.

Do integralismo ficou pouca coisa como lembrança: o desfile de jovens de camisa verde com o braço direito esticado pra frente gritando "anauê" e o hino, de que gostava muito. E gosto até hoje, da melodia. Sou capaz de cantar de cor. É uma paródia da *Canção ardor do infante*, do Exército brasileiro ("Aonde vais tu, esbelto infante/ Com teu fuzil lesto a marchar") com a letra trocada. Me surpreendi algumas vezes num plantão de hospital cantarolando a versão integralista:

Aonde vais tu, camisa verde,
com tanto garbo a marchar?
Dizem que vais salvar a pátria,
Para com ela caminhar.

Aonde vais tu, camisa verde?
A nossa Pátria libertar!
Diga adeus aos teus pais,
Porque talvez não vais voltar!

O Integralista de Sul a Norte,
não teme nada nem mesmo a morte.

Duas tentativas de putsch acabaram com a farra dos comunistas (em 1935) e dos integralistas

(em 1937). Mas Leleco e Ari continuavam defen-
dendo acaloradamente suas cores. Eles acreditavam que o mundo um dia seria vermelho ou verde.

Essa discussão irritava Pepe, que não estava
interessado em saber o estado presente ou futuro
do país e do mundo. Queria era fuxicar e falar
sacanagem.

23. Evitando a tragédia

Cotinha e Douglas estiveram casados por uns três anos. O mais espantoso é que os quatro — ela, ele, Leninha e tia Nonoca — viveram boa parte desse tempo na mesma casa. Como isso foi possível, como pessoas se odiando tanto — pelo menos duas delas, a sogra e o genro — puderam conviver diariamente é uma pergunta que ainda me faço. É bem verdade que o casal morava no maior quarto da casa, com um banheiro ao lado, e o marido pouco saía de lá. Suas refeições eram levadas por Cotinha numa bandeja. Mesmo assim, é um mistério como aquela família conseguiu viver desse modo tanto tempo, e sobretudo por que, pois podiam morar separados em outro lugar. Uma hipótese é que eles amavam se odiar e precisavam manter renovado esse ódio, de preferência alimentando-o todo dia. Não sei se era isso.

Um dos problemas a administrar naquela convivência era o uso do banheiro, por ser único. Tinha que estar desocupado quando Douglas acordava, o que era difícil de prever. Dependia da hora em que dormisse. Ele decretava: "Se não desocupar agora, eu arrebento a porta."

E lá ia Cotinha correndo implorar: "Pelo amor de Deus, acaba logo, Leninha!" Eram momentos de tensão. Mais tarde, quando se lembrava dessas situações, Cotinha transformava a cena a favor do marido: "Mas ele nunca arrombou a porta", alegava, como se isso fosse uma bondosa concessão. Esquecia de acrescentar que o banheiro nunca deixou de ser desocupado rapidamente.

O ciúme sem sentido de Douglas fazia de Cotinha uma prisioneira. Ela passava parte dos dias no quarto bordando. Não podia receber visitas e nem atender o telefone, a não ser quando tocasse cinco vezes, porque então era ele, conforme a combinação feita. O problema maior eram as caronas. Como Cotinha dava aula longe, na Granja do Moinho de Vento, e tinha de ir e voltar a pé, pois não podia comprar uma bicicleta, acontecia de algum carro lhe oferecer carona. Ele não admitia.

— E quando estiver chovendo? — Ela tentava comovê-lo.

— Leva guarda-chuva.

Ela não levava, preferia se molhar, e essa pirraça era a única desobediência que ousava esboçar. Um dia, chovia muito e ela vinha da escola caminhando com alguns de seus alunos quando passou um carro com o médico Silvio Albuquerque e o prefeito Silas Laranjeira. Ao verem aquela professorinha com seus alunos encharcados, eles pararam e mandaram que todos subissem. Era uma caminhonete grande da prefeitura. Ela hesitou, disse que não precisava, muito obrigada, mas as crianças já estavam subindo, puxando-a pela mão. Era até uma indelicadeza continuar recusando.

À noite, Cotinha ficou em dúvida: conto ou não conto? Se eu não contar, ele pode descobrir e aí vai ser pior. Com muito jeito, contou, explicando a situação. Ele não explodiu. Preferiu um tom didático para esconder a raiva. Disse que pelo menos ela devia ter descido quando as crianças desceram, na Ponte da Saudade. O argumento de que como eles sabiam que ela não morava lá e que por isso ia passar por maluca, com aquela chuva toda, não convenceu.

— Melhor do que passar por uma mulher que pega carona na estrada.

Douglas ficou mais calmo quando perguntou se alguém tinha visto e ela respondeu que não.

— Ai de você se alguém vier me contar que viu!

Cotinha se lembrava de quando Pedro, namorado de dona Maria Italiana, lhe ofereceu carona no Sítio das Tulipas e ela arranjou a desculpa de que não podia porque ia à casa de uma pessoa ali perto. Pois a primeira coisa que ele fez foi contar para Douglas, que comentou, orgulhoso: "Mulher minha não pega carona."

Cotinha procurava demonstrar para sua mãe, por intermédio da irmã, que sua vida com Douglas era um mar de rosas. Ele era o melhor marido do mundo. Isso, porém, não facilitava as relações, pois não se sabia o que era pior para tia Nonoca — achar que a filha estava infeliz no casamento, como ela previra, ou suspeitar que ela pudesse estar feliz, uma possibilidade que ela repelia. Não foi preciso muito tempo para ela descobrir.

A primeira surra que Cotinha levou de Douglas foi mais ou menos um mês após o casamento. Por nada, sem motivo, como de resto seriam todas as outras. Ele chegou alcoolizado perguntando por que o telefone estava ocupado quando ele ligou. Ela respondeu que sua mãe estivera falando com uma das irmãs.

— Mas liguei umas três vezes!

— Ué, Douglas — e ela usou o tom meio insolente que usava para responder sua mãe. — Ela estava conversando com tia Aurora, não pode?

O tapa que levou ao dizer isso doeu por vários dias — no rosto e mais ainda na alma.

— Quando eu falar você não me responda — ele advertiu, e voltou a estapeá-la mais umas três vezes, como fazia com os presos na delegacia.

— Presta atenção: eu não sou a vaca de sua mãe, ouviu?

Cotinha chorou a noite toda, baixinho, para não ser ouvida pela mãe e para não atrapalhar o sono do marido.

No dia seguinte, Leninha perguntou:

— Cotinha, você tá com o rosto inchado ou é impressão minha?

— É impressão.

— Você e Douglas brigaram?

— De jeito nenhum!

— Engraçado, achei que ouvi vocês discutirem.

Por várias vezes, Leninha percebera os passos duros e desiguais de Douglas ao chegar tarde da noite. Era o andar trôpego de um bêbado, mas Cotinha minimizava:

— Ele realmente tem bebido um pouquinho.

— Um pouquinho? Noite passada ele derrubou uma cadeira.

— Não exagera.

— Ainda bem que mamãe não escutou. Acho que ela tá meio surda.

À noite, tia Nonoca costumava esgueirar-se usando um andar cauteloso de felino. Leninha chegou a surpreendê-la de ouvido colado na porta do quarto do casal, como um médico auscultando um pulmão sob suspeita. A desculpa foi a mais esfarrapada: "Estava passando, e achei que Cotinha tinha me chamado."

Os sinais de que as coisas não iam bem naquele quarto foram se tornando frequentes. O rosto inchado se repetia, e a alegação de que era devido a um dente inflamado não enganava mais Leninha. E o olho roxo?

— Cota, vamos deixar de mentira e fingimento: o Douglas anda te batendo.

— Que isso, Leninha, a gente discute, como todo casal, empurra um ao outro, mas é só.

— Por que tanto sofrimento, Cotinha? Larga esse sujeito, manda ele embora, a casa é nossa, é sua.

— Eu adoro ele, você sabe.

— Que amor é esse? Ele te maltrata, te bate.

— Mas é porque eu provoco ele.

— E isso é razão pra te bater?

— Eu estou mais feliz com ele do que você aí, sozinha.

Leninha sabia que não adiantava ter essas conversas. Elas só serviam para magoar as duas. Agora, iam ficar sem se falarem até a noite. Desde pequenas, as duas brigavam quase todos os dias, mas não havia uma noite em que fossem dormir de mal. Por pior que fosse a briga, por mais desaforos que se dissessem, elas não conseguiam dormir sem fazer as pazes.

— Vou te prevenir pela última vez: não sei se mamãe desconfia de alguma coisa. Mas se ela descobrir que você anda apanhando de seu marido, ela mata o Douglas, você sabe!

A partir dessa conversa, a servidão amorosa de Cotinha chegou a tal ponto de degradação que ela implorava ao marido para que não lhe batesse no rosto. Que batesse, mas não deixasse marca.

Depois ficava chorando baixinho, cheia de dor, tentando entender por que ele fazia isso com ela, já que estava convencida de que ele a amava

Para justificar o marido, Cotinha usava uma teoria segundo a qual ele era um bruto não por perversidade ou índole, mas por trauma e revolta. Tornara-se violento, ela alegava, depois de flagrar a mãe traindo o marido, pai dele. "Em cada mulher, inclusive eu, ele vê a mãe adúltera."

Aceitando ou não esse álibi, parecia de fato haver um outro Douglas capaz de, por exemplo, se escandalizar com a violência praticada pela polícia de Vargas. Chegou a recusar uma transferência, mesmo sabendo que ia ganhar mais. Procurou o seu chefe e afirmou: "Para a rua da Relação eu não vou. Conversei com alguns colegas de lá e eles me contaram o que fazem com os presos políticos: arrancam unhas, queimam com cigarro, enfiam cabo de vassoura no ânus."

— Fala-se demais, meu bom rapaz.

— Não, não é boato, não. Tem um alemão lá, um tal de Berger, um nome assim, que tá sofrendo o diabo. Um colega me descreveu o que um certo tenente Queiróz fez com o pobre alemão: enfiou um arame pelo pênis dele adentro e foi esquentando, esquentando. Já imaginou a dor? Posso matar um preso à porrada, se ele me ofender. Mas tortura, não, é covardia.

Esse outro Douglas era capaz de gestos surpreendentes, como o da noite em que, sem conseguir dormir, acordou Cotinha e pediu que ela fosse com ele até a delegacia. Ela estranhou porque ele sempre dizia que delegacia não era lugar de mulher decente. No caminho, o mistério se esclareceu. Ele tinha prendido uma menina de 14 anos que fugira de casa e estava perambulando pela rua. Como ela não quis revelar o nome nem voltar para casa, ele a trancou numa cela por segurança.

Mas a hipótese de que algum soldado pudesse fazer-lhe mal não o deixava dormir. Levar a esposa consigo era a garantia de sua intenção de proteger a menina, que foi com eles para casa e passou a dormir no corredor, junto ao quarto do casal, até que o juiz se responsabilizou pelo caso.

A melhor fase dessa época para Cotinha foi quando nossa avó morreu. Tia Nonoca e Leninha foram então para a casa de tia Celeste, que tinha medo de ficar sozinha depois da morte da mãe. Assim, Cotinha e o marido tinham a casa só para eles. Douglas comprara um fogareiro a álcool para que sua comida fosse esquentada no próprio quarto. Nessa espiriteira, Cotinha fazia o prato de que Douglas mais gostava: macarrão.

Aproveitando a casa vazia, ele frequentemente telefonava já tarde para a mulher ordenando: "Acende o fogo que estou indo com uns amigos." E chegava com no mínimo dois: Agnelo e Leo. Pediam vinho no bar e só paravam de comer e beber de madrugada.

Apesar do trabalho, Cotinha preferia assim, porque dali Douglas ia direto para a cama. Era melhor do que ficar pela rua brigando e voltar batendo nela.

Não me lembro se foi antes ou depois desse período, mas uma noite tia Nonoca levantou-se para ir ao banheiro e ao passar pelo quarto do casal ouviu um ruído lá de dentro. Colou o ouvido na porta, como fazia sempre, e era o que pressentia. Dirigiu-se então rapidamente, mas na ponta dos pés, até o quintal. A luz da lua sobre o que parecia ser um espelho chegava a ofuscar. Mas não era espelho, era a lâmina afiada do machado de cabo curto com que preparavam as achas de lenha para o fogão. Justamente o que ela procurava. Pegou, voltou à sala e, jogando-se por inteiro sobre a porta do quarto, arrombou-a de uma vez. Com a machadinha segura com as duas mãos e erguida sobre a cabeça, ela partiu para cima de Douglas. "Vou te rachar ao meio, seu desgraçado." Num salto, Cotinha se interpôs entre a mãe e o marido, o olho roxo e o nariz ainda sangrando da surra que acabara de levar.

Leninha meio tonta de sono chegou a tempo de ouvir a irmã implorar: "Sai do quarto, mamãe, pelo amor de Deus!" Tia Nonoca saiu, mas ameaçando: "Se você fizer isso outra vez com ela, seu covarde, te mato, e agora com revólver."

A frustração e a raiva de não ter realizado seu intento não deixaram tia Nonoca dormir direito, nem naquela noite nem nas seguintes, porque passou a ter como missão tentar ouvir o que se passava no quarto da filha. Já meio surda, o remédio era colar o ouvido na porta e assim passar parte da noite.

A cada dia que passava, a situação piorava. Agora estava insuportável, e Leninha temia que a mãe cumprisse sua ameaça. Resolveu então recorrer a Artur para que ele apelasse para seu grande amigo Amadeu no sentido de evitar uma tragédia iminente. Que ele desse um jeito de requisitar Douglas para trabalhar com ele no Rio. Ao mesmo tempo, telefonou para tia Tininha explicando a situação e pedindo abrigo para o casal, "pelo amor de Deus". Irmã caçula de vovó, a quem todos chamavam carinhosamente de "tia", ela já estava acostumada a acolher os parentes de Florida no seu casarão da Tijuca. Só tinha uma condição: que os hóspedes ajudassem nos trabalhos domésticos, arrumando a casa ou cozinhando e lavando os pratos. Em pouco tempo, a "Pensão da Tia Tininha", como era conhecida na família, ganhou mais dois moradores provisórios.

Aquele ano foi o mais feliz dos três em que estiveram casados.

Talvez porque respeitasse tia Tininha e temesse seu marido, o bravo tio Pereira, o fato é que Douglas cessou de bater na mulher e passaram a viver como se estivessem numa nova lua de mel.

A felicidade do casal durou até o Carnaval de 1951.

24. A morte no Carnaval

Naquele domingo de Carnaval, Cotinha acordou com uma desagradável sensação, assim como um pesadelo que insistia em prosseguir depois do sono — parecia que alguma coisa ruim ia acontecer. Ao pensamento, vieram logo as imagens do marido e da mãe, mas tudo de forma vaga, imprecisa. Ela lutou a manhã toda para afastar aquele peso, mas ao meio-dia, quando estava conversando com Alzira, levantou-se subitamente.

— Onde você vai com tanta pressa? — perguntou a prima.

Ela só foi responder minutos depois, ao voltar.

— Fui entregar meu marido a Nossa Senhora. Estou com um mau pressentimento.

— Para de pensar no Douglas, Cotinha! Deixa ele trabalhar sossegado.

Por influência mais uma vez do amigo e protetor Amadeu, Douglas conseguira ser escalado para a equipe que iria cobrir o disputado baile de

Carnaval do Quitandinha, o mais luxuoso hotel de Petrópolis. Era o que todo policial queria, porque dava prestígio e dinheiro.

— O que estou sentindo hoje — suspirou Cotinha — é diferente, é preocupação. Acho que ele está precisando de mim.

De noite, ela conseguiu afastar aqueles presságios e aceitou o convite da prima para darem uma volta pela Praça Saens Peña, como sugerira o próprio Douglas, antes de sair para trabalhar. Com Alzira, podia, tanto que ele chegou a deixar dez cruzeiros para as duas comprarem sorvete. Na volta, como aquele mau pensamento tornasse a persegui-la, ela ajoelhou e rezou antes de dormir, pedindo que Nossa Senhora protegesse seu marido. Não sabia bem de que, mas sabia que ele precisava de proteção.

Às cinco da manhã o telefone tocou acordando todo mundo no casarão da rua Conde de Bonfim, na Tijuca. Ninguém tinha dúvida de que um telefonema àquela hora seria para dar uma má notícia. Cissa foi a primeira a chegar ao aparelho. Não deixaria esse gostinho para ninguém. Disse "alô", ficou alguns segundos em silêncio e agradeceu.

— Foi minha mãe, Cissa? — perguntou Cotinha, sabendo que não era, e sim o que pressentira.

— Não, não foi sua mãe que morreu não, foi o Douglas — anunciou, irritando Alzira: "Isso é modo de falar, Cissa!" Mas ela estava por demais excitada para prestar atenção na reprimenda da irmã.

— Ele morreu em Petrópolis — completou a informação.

Cotinha sempre disse que preferiria Douglas morto do que matando alguém e tendo que cumprir pena numa prisão. Ele não suportaria. Apesar disso e do seu pressentimento, ela reagiu mal diante daquele desfecho inesperado e absurdo. Quase enlouqueceu. Primeiro gritou, apoplética. Depois, caiu em prostração catatônica. Mas não chorou. A dor secou Cotinha por dentro. A partir daquele momento, soube-se muito depois, ela não iria menstruar nunca mais.

Na noite em que morreu, estando de serviço, Douglas fez tudo a que não tinha direito: sentou-se numa mesa do salão com a amante, bebeu, comeu e até dançar, dançou. Quantas vezes já se comportara assim em Florida, e quem ousara recriminá-lo? Havia sempre alguém para lembrar a um superior mais afoito e rigoroso que aquele era "King Douglas, o intocável", o amigo de poderosos, o protegido do Catete, o policial das costas largas, em todos os sentidos.

Quando um colega foi avisá-lo de que o delegado-chefe da equipe queria lhe falar, Douglas respondeu que ia acabar de tomar o seu scotch, dançar mais uma música e aí, sim, se apresentaria. Ainda ensaiou alguns passos e cantalorou um dos sucessos daquele Carnaval que estava tocando:

"Tomara que chova
Três dias sem parar.
A minha grande mágoa
É lá em casa
Não ter água,
Eu preciso me lavar."

Era uma afronta, e o impulso do delegado ao receber o recado foi dirigir-se pessoalmente à mesa e retirar o insubordinado puxando-o pelo colarinho. Mas foi só um impulso. Ele não demorou a mudar de ideia. Não deveria fazer isso por dois motivos: primeiro, porque, pensando bem, dificilmente ele conseguiria realizar o seu intento; e depois porque poderia haver reação e tumulto, um escândalo cujas consequências iriam atingi-lo, a ele, a autoridade policial responsável pela manutenção da ordem no baile. Num instante, ele se deu conta do que significaria uma confusão provocada justamente por quem tinha como tarefa evitá-la. O Carnaval do Hotel Quitandinha atraía o jet set carioca e celebridades estrangeiras. Não era um baile popular, mas de elite.

Douglas apresentou-se a seu chefe completamente bêbado.

— Você mandou me chamar, chefinho?

Misturado aos foliões, o delegado estava num canto do salão, de onde podia avistar estrategicamente o que acontecia em todo o baile.

Fingiu não ter se irritado com a intimidade do seu insolente subalterno e sobretudo com o seu estado de embriaguês. Esforçou-se para dar a impressão de que aquele era um encontro amigável entre dois colegas.

— Preciso falar com você, vamos dar um pulo lá dentro — sussurrou.

E fez sinal com os olhos para os policiais em volta. Como já havia previamente combinado, um ocuparia o seu lugar no salão e outros quatro seguiriam com ele até a sala reservada para a conversa: nos fundos, bem distante de onde estavam, um quase porão, ao qual se tinha acesso por meio de uma escada. Tudo tinha que ser rápido.

Quando chegaram, havia lá dentro mais cinco policiais. O delegado tomara suas precauções. Alguém teria chamado sua atenção para o risco que seria enfrentar aquela fera com pouca munição? Da porta, ele empurrou a presa para dentro da sala.

— Você não vai voltar para o salão de baile não. Daqui você vai preso para casa, seu bêbado irresponsável!

King Douglas, o intocável, custou a entender o que estava se passando, porque foi logo agarrado por seus colegas, que imediatamente lhe torceram os braços e o puxaram para trás, tentando imobilizá-lo. As pernas, porém, ficaram livres, e esse acabou sendo o erro dos captores. Com elas, Douglas pôde reagir e transformar a sala num campo de batalha. Apoiando-se nos quatro policiais que mantinham o seu corpo alguns centímetros acima do chão, ele lançou os dois pés no peito de quem estava bem à sua frente. O delegado-chefe não caiu sozinho: houve um efeito dominó. Ele arrastou consigo os cinco auxiliares que estavam por trás dele.

Douglas girava no ar, usando como eixo os próprios policiais que se mantinham agarrados a ele. Para não soltá-lo, rodavam junto com o preso, que com os pés ia atingindo os que tentavam se aproximar. O corpo realizou tantos movimentos forçados que é possível que os braços tivessem sido quebrados. As pernas, com certeza, foram, quando Douglas as levantou para mais uma vez atingir o delegado. Nesse momento, surgiu na sala outro policial que, segurando uma providencial barra de ferro, fez o gesto parecido com o de um jogador de golfe. Segurou o taco improvisado com as duas mãos, tomou distância e bateu nas pernas que se agitavam. Ouviu-se então o barulho de ossos se quebrando e pôde-se ver um corpo meio desconjuntado escorregando para o chão. Naquela noite, Douglas apanhou mais do que bateu durante a vida toda.

Ele urrava de dor e de raiva, agora finalmente subjugado. O delegado, mais seguro de si, passou a comandar o massacre:

— Quebra ele todo, mas sem sangue! Na cabeça, não! Poupem o rosto!

Esses cuidados seriam de grande utilidade em seguida. A primeira parte da operação fora um sucesso. Douglas perdera os sentidos, estava inconsciente — sem escândalo, sem testemunha e sem marcas, a não ser umas poucas manchas de sangue no chão. Mas isso era fácil de remover. Quanto à roupa amarfanhada e suja na batalha, não havia problema. Alguns smokings e summers sobressalentes estavam guardados na conciergeria do hotel. O difícil foi encontrar um que coubesse nele. Acabaram vestindo-o com um paletó de mangas um pouco mais curtas, mas ninguém ia reparar.

O corpo de Douglas saiu de automóvel dirigido por um dos policiais. Um colega chegou a argumentar que era melhor levá-lo na mala do carro; depois se sumiria com ele. O delegado não concordou: "Ele tem que ser visto saindo daqui vivo; desmaiado, mas vivo. Façam o serviço bem longe e desovem o corpo numa sarjeta qualquer, como se tivesse sido vítima de um assalto com muita violência."

Sentado no banco de trás, a cabeça de Douglas repousava sobre o encosto da poltrona. De vez em quando gemia. Era o quadro perfeito de alguém que bebera demais e, em consequência, apagara. Ao passar pela guarita do Quitandinha, os guardas sequer desconfiaram. Sorriram, cúmplices, quando o motorista indicou com sinais que estava conduzindo para casa um dos muitos bêbados daquele domingo de Carnaval.

25. Meio século depois

Em março de 1995, Diana recebeu um telefonema em sua casa em Campos, onde Cotinha e Leninha estavam passando uma temporada. Ela fora adotada por Cotinha aos quatro meses de idade, quando sua mãe biológica morrera. Diana era a filha que as duas não tiveram — uma por ser estéril, e a outra por não ter se casado. Considerava-se feliz, com "boa cabeça", por nunca terem escondido dela a adoção.

É curioso como as duas irmãs, que brigavam tanto, nunca tivessem disputado a posse da menina. Cotinha era a mãe oficial e Leninha, a madrinha. Uma reprimia, a outra liberava. "Uma prende, a outra solta", contava Diana para as amigas. Ela adorava a mãe, mas a afinidade era com a madrinha. "Ela é amiga, irmã, mãe, tudo. É minha confidente, conselheira e eu, dela."

Diana estava com 33 anos, era casada com Antônio Carlos e tinham uma filha, Ana Maria, de 9 anos. Quando o telefone tocou, ela atendeu:

— Por favor, eu queria falar com Leninha. Aqui é o Tony.

— Quem? O Tony?

Diana achou que não escutara direito. Aquele nome tinha povoado sua imaginação na adolescência. Ele era o príncipe encantado das histórias de sua madrinha. Ela idealizava de tal maneira o antigo namorado que, para a garota Diana, ele não passava de um personagem de ficção.

Cotinha, que estava na sala, deu um salto na direção do telefone.

— Deixa, Diana, que eu atendo. O que será que o Tony quer com a Lena? Ele ficou viúvo há menos de um ano!

Diana segurou o fone. "Não, mamãe, é para a Dindinha. Din-di-nha, é o Tony!!!", gritou, deixando sua mãe falando sozinha: "O que ele pode querer com a Lena? Como é que ele conseguiu o telefone?" Ela sabia tudo o que se passava na casa da família do falecido marido. O mistério era por que o telefonema a perturbara tanto?

Leninha estava no quarto e deve ter levado mais de meio século para percorrer os 2 metros que a separavam da mesinha do telefone na sala. Foi tudo muito súbito e ela não conseguia pensar. Teve medo de não conseguir andar, de ficar paralisada, de perder a voz, de ter um acesso de choro ou de riso. Tinha que atender à ligação e parecer natural. Mas a confusão embaralhava em sua cabeça recordações e pensamentos. Ela temia que a onda de calor que subia do ventre ao rosto, deixando-o ruborizado, fosse percebida pela irmã. Que Diana percebesse, não tinha importância, mesmo Antônio Carlos, mas Cotinha não. "O que que eu vou dizer a ele, meu Deus?"

Tony já imaginava o impacto que a ligação iria causar naquela casa. Por isso foi rápido.

— Lena, como vai?, eu posso marcar com a Dianinha para ir aí? — ele comunicou, mais do que perguntou. — Eu preciso falar com você. Me passa a Diana de novo.

Leninha ficou com o fone na mão, em quase estado de choque. Mal conseguia acreditar no que estava acontecendo. Era a mesma voz, o mesmo jeito de falar "Lena". "Será que ele não envelheceu? Como será que está?" Coube a Diana, depois de voltar a falar com Tony e marcar um dia para a visita, dar palavras àquela intuição que estava na cabeça de todos.

— Dindinha, eu acho que ele vai querer casar com você.

— Acho que não, acho que não quero não — balbuciou Leninha, mentindo para ela mesma. — Estou muito velha.

— Ah, isso é mesmo, Lena — apressou-se em garantir Cotinha. — Os dois estão muito velhos. Seria uma vergonha. Imagine o que não iam dizer: Uma velha de 70 anos com um velho de mais de 70! Deus me livre.

Para se convencer de que estava certa, Cotinha expôs logo a hipótese:

— Ele vai oferecer dinheiro para Leninha, é isso. Ele deve ter sabido que ela está em dificuldade e quer ajudar.

De fato, enquanto Cotinha tinha uma pensão de viúva, Leninha enfrentava problemas de sobrevivência. Mas de onde ela havia tirado essa história de ajuda financeira? A troco de que Tony resolveria, mais de cinquenta anos depois, aparecer só para oferecer dinheiro a quem nem chegou a ser sua namorada. Não fazia sentido, mas Cotinha queria esconjurar a ideia do casamento que estava na cabeça de todos ali: de Diana, do marido Antônio Carlos, da filha Ana Maria, da própria Leninha e principalmente dela mesma, claro.

— Não pode ser para casar — ela repetia para se convencer. — Vocês são muito velhos!

— Para com isso, mamãe — irritou-se Diana. — Que mania de derrubar. Aposto como ele ligou para se casar, você vai ver.

Duas semanas depois aconteceu o encontro ali mesmo, na casa de Diana e Antônio Carlos. Todos saíram da sala para deixar os dois sozinhos, mas esqueceram Ana Maria sentadinha num canto. Só se lembraram quando ela chegou correndo na cozinha, esbaforida:

— Mamãe! Aquele velho quer casar com a vovó!

Tony aceitou o convite para almoçar e só após o almoço pediu para conversar a sós com Diana e Antônio Carlos — não se sabe por que deixou de fora Cotinha e, claro, a menina Ana Maria.

Foram todos para a sala de visita e o noivo se comportou cerimoniosamente, como se o mundo tivesse recuado meio século, ao pedir a mão de Leninha em casamento. Informou que a noiva já havia concordado, mas que faltava o consentimento do casal. Explicou que vivera 43 anos muito bem com a esposa, mas que o amor de sua vida toda sempre fora Leninha. Finalmente, ele queria saber se, em respeito à memória da falecida, Leninha esperaria completar um ano da morte para então se casarem. Faltavam oito meses.

— O que vocês acham? — Perguntou Tony.

Antônio Carlos foi quem respondeu:

— Nós não temos que achar nada, Tony, vocês é que têm que achar.

— Mas eu gostaria de saber a opinião de vocês.

Diana disse, à moda antiga, que faziam "muito gosto" e estavam tão felizes como se fossem casar a filha mais velha.

A dona da casa anunciou que ia começar logo o enxoval e Tony disse que queria levar a futura esposa a Macaé, onde morava, para que conhecesse seus dois filhos.

Vendo fracassarem todas as tentativas de barrar o casamento da irmã, Cotinha se apegou então a um último detalhe. Quando soube da pretensão do noivo, ela objetou:

— Se você for a Macaé, Lena, eu tenho que ir junto. Olha o que os filhos dele vão pensar! Imagina uma namorada (ela se recusava a pronunciar a palavra "noiva") chegar sozinha à casa do namorado!

Naquela noite, elas discutiram como nunca. Foi Cotinha quem retomou a conversa da tarde, adotando um falso ar maternal, como se quisesse apenas aconselhar.

— Você tem que pensar bem, Lena, você não está numa novela, nem de rádio nem de televisão. Essas coisas não acontecem na vida, não. Um velho e uma velha se casarem por "amor"! Que amor pode haver entre duas pessoas que estão mais pra lá do que pra cá? É essa loucura que quero evitar.

Leninha teria preferido ficar com seus pensamentos, reconstituindo tudo o que acontecera naquela tarde tão intensa. Afinal, aquele fora o dia mais esperado de sua vida. Mas ao mesmo tempo ela não aguentava mais o ressentimento da irmã, aquela inveja disfarçada em "conselhos para o seu bem".

— Não é nada disso, Cotinha. Você não quer que eu me case pra não ficar sozinha na sua viuvez. Você sempre achou que eu devia ser viúva também.

— Eu já disse. Não quero é que você caia no ridículo.

— Não é não. Você não quer é que eu finalmente seja feliz, que encontre o prazer do qual você tanto fugiu.

— O meu prazer foi sempre pensar no Douglas.

— Pensar e se masturbar olhando para o retrato dele.

— Não seja grossa, sua indecente.

— Deixa de ser hipócrita, Cota. A sua cabeça sempre quis uma coisa e seu corpo outra.

Durante o período de luto, Tony e Leninha respeitaram rigorosamente a memória da falecida. Não se pode dizer nem que se namoraram, a não ser por alguns beijos castos, em que os lábios entreabertos mal se tocavam, e pelo hábito de andarem de mãos dadas. Falavam-se diariamente por telefone e se encontravam aos sábados e domingos à tarde para uma ida ao cinema e alguns passeios ao ar livre. Gostavam de ver vitrines das lojas de móveis e equipamentos domésticos. "Que tal aquela espreguiçadeira para você, meu amor?", ela sugeria.

Eles não tinham reunido lembranças suficientes um do outro para construir um acervo comum. O que sobrou daqueles fugazes encontros pouco menos de cinquenta anos atrás fora registrado pela pele. Eram sensações. Mais do que conversas sobre o passado, eles faziam planos: como seria o casamento, onde passariam a lua de mel, como arrumariam a casa, qual seria a rotina.

— Onde você gostaria de passar a primeira noite? — Perguntou ele quando os dois estavam sentados na praia de Icaraí, num lindo fim de tarde.

— Você que sabe, meu amor, em qualquer lugar tá bom — ela respondia, comovida.

O resto do tempo eles passavam dançando. Iam para o apartamento dele e dançavam quase toda noite, castamente, pelo prazer de dançar, mais até do que pelo prazer dos corpos unidos. Colocavam na vitrola os discos antigos e se esqueciam da vida.

Um conflito entre ideias e sentimentos tomou conta de Leninha nesse período. Conscientemente, acreditava de fato ser muito velha para uma aventura amorosa que deveria ter ocorrido havia meio século. Mas seus impulsos e emoções falavam mais alto. O corpo se impunha à cabeça; o desejo à vontade. Era assediada pela impressão de que, quem sabe, sua irmã teria razão ("Será que não estou mesmo caquética?"). Era tudo tão inverossímil, tão improvável ("Cota tinha razão: estou vendo novela demais").

Os dias e noites que se seguiram ao pedido de casamento foram assim. Se por um lado achava justo acontecer o que ansiara a maior parte de sua vida, por outro, duvidava que os sonhos pudessem se realizar na vida real. Era possível que tudo aquilo fizesse parte de um dos capítulos de novela da velha Rádio Nacional que ela, de tanto ouvir, confundia muitas vezes ficção e realidade, misturando-se na trama, que lhe reservava sempre o papel de heroína.

Às vezes, a fantasia era invadida pelo fantasma de que esse seu romance improvável acabaria em escândalo — e essa continuava sendo a palavra mais temida de suas vidas. "Tudo, menos escândalo", como dizia tia Nonoca, e escândalo tanto podia ser um flagrante de adultério, como ser surpreendida sozinha na Recanto dos Amores à noite, mesmo que não estivesse fazendo nada demais. Ou como esse casamento.

O tempo ia passando e a data da cerimônia era sempre protelada — e isso começou a preocupar Leninha. A primeira a lançar a suspeita foi evidentemente Cotinha. "Será que o Tony não está te enrolando, Lena? Acho que ele não quer casar." Um dia, com muito jeito, ela resolveu "lembrar" Tony de que o casamento já tinha sido marcado e desmarcado três vezes. Ele admitiu então que de fato havia um problema retardando a felicidade completa do casal. Mas não disse qual era, apesar da insistência da noiva. Uma hipótese passou a atormentar Leninha: não seria mais uma daquelas inúmeras histórias em que o noivo sumia às vésperas do casamento? O mistério aumentou quando ele a convidou para acompanhá-lo a um médico em Niterói que o seu cardiologista indicara. "Pronto, só faltava essa, o Tony vai morrer", concluiu logo Leninha. "Estava tudo muito bom para dar certo."

A "doença" do noivo, porém, ia fazer muito bem ao casal.

26. Ele só pensava naquilo

O andrologista Edgard Pontafiel já era famoso em sua especialidade quando o casal o procurou. Há muito vinha pesquisando e tratando de transtornos sexuais masculinos, em particular da disfunção erétil. Esse era o problema que Tony relutou em contar a Leninha. Só se animou quando o seu cardiologista recomendou que ele fosse com a noiva a esse médico de Niterói, conhecido pela competência no tratamento da impotência.

Muitos anos depois, o doutor Penafiel ainda se lembraria daquela tarde em que o casal apareceu em seu consultório, chamando a atenção por um detalhe: eram muito carinhosos um com o outro. "Enquanto eu fazia a ficha, registrando nome, endereço etc., eles não paravam de se beijar e se acariciar. Achei incrível a disposição amorosa daqueles dois velhinhos. Depois que me contaram sua história, mandei logo comprar aqui perto o livro que eu acabara de ler, *Cem anos de solidão*, de Gabriel García Márquez. Presenteei o casal dizendo que o inverossímil romance deles cabia na improvável Macondo imaginada pelo autor. Só então examinei o paciente."

O doutor Penafiel tem boa memória e um excelente arquivo, onde estão guardadas anotações e radiografias, o que lhe permite reconstituir minuciosamente esse caso após mais de 15 anos. Depois da primeira consulta, quando Leninha confessou ao médico que era virgem e nunca tivera outro namorado além de Tony, eles voltaram ao consultório para que ele se submetesse a um teste de ereção com injeção local. Verificou-se então que a rigidez máxima atingida era a metade do que seria necessário para a penetração.

Com o auxílio de imagens de raios x, o médico explicou então ao casal que a disfunção erétil de Tony era devida a uma fibrose nos corpos cavernosos, que funcionam como uma câmara de pressão para fazer o pênis alcançar a posição ideal de rigidez para a penetração.

Com paciência, o doutor Penafiel se esforçava para ser didático num tema de difícil compreensão para um leigo. Tony acompanhava a explicação atentamente, mas Leninha não dizia nada, a não ser para si mesma: "Ah, meu Deus, será que tem cura?"

À longa explanação, seguiu-se o diagnóstico: "Por várias patologias", explicou o médico, "até por envelhecimento, pode-se ter um processo em que esses tecidos nobres e fundamentais para a ereção começam a morrer, e o espaço é substituído por tecido cicatricial fibroso". Esse era o caso. "O que fazer?", perguntou Penafiel, para ele mesmo responder: "A solução é substituir o enchimento cíclico de sangue por um material de silicone que crie resistência para a penetração. É o que se chama de prótese peniana."

Como não era cirurgião, Edgard Penafiel indicou um colega para realizar o procedimento, o que foi feito com grande êxito. Tanto que se casaram logo depois, numa cerimônia simples na casa de Diana. É o andrologista quem conta:

"A cirurgia foi no dia 25 de maio de 1996. No dia 27 de julho, eles estiveram aqui no consultório, declarando-se muito satisfeitos com o resultado. Minto. Ela reclamou do 'exagero' e eu quis saber por quê. 'É que agora ele só pensa naquilo', acrescentou, rindo. Levemente ruborizados, os dois então admitiram que durante o período pós-cirurgia haviam completado nada menos que sessenta relações sexuais."

Até o doutor Penafiel se surpreendeu, dando razão a Leninha: era de fato um exagero. Segundo seus cálculos, haviam transcorrido cerca de dois meses. Mas, considerando a fase de abstinência forçada, ou o que o médico chama de "carência mínima" de vinte dias, as tais sessenta relações tinham sido praticadas em pouco mais de um mês. Quase duas por dia!

O andrologista acompanhou o caso até dois anos e dois meses após a cirurgia, quando o casal voltou à clínica, e o médico anotou com sua letra na ficha dos pacientes: "Está tudo bem, muito bem mesmo. Relações diárias ou quase. Só uma reclamação bem-humorada da parceira: 'Ele só pensa naquilo.'"

Só então entendi direito o que Lena quis me dizer pouco antes de morrer, em 1998. Ela mandara me chamar, pressentindo que estava no fim. Cheguei a tempo de encontrá-la ainda lúcida, embora sabendo, como médico, que o seu câncer era irremediável. "Fica tranquilo que não mandei te chamar para me salvar, não. Só queria conversar. Não tenho mais jeito. E ainda dizem que vaso ruim não quebra."

Fiquei impressionado de ver como aquele espírito cujo corpo estava nas últimas era capaz, em meio à dor que devia estar sentindo, de brincar e de ostentar um riso que não tinha envelhecido. Era uma resignação alegre, sem rancor. Ao contrário da mãe e da irmã, Leninha não se levava a sério e detestava "fazer drama".

— E aí, como é que você está? — perguntei por perguntar, esperando como resposta uma queixa ou o pedido de algum remédio que aliviasse seu sofrimento.

— Já vou tarde, e feliz. Valeu a pena ter esperado tanto tempo pela felicidade.

Até Cotinha admitia nunca ter visto um casal tão feliz, comentando com uma ponta de inveja: "Eles não fazem outra coisa senão dançar. Dançam todo dia." Não era só isso o que faziam.

Eu soubera da morte de Tony pela crônica familiar. Cochichava-se que ele morrera do "coração" quando estava trancado no quarto com Leninha. E mais não se dizia, apenas se insinuava que ele morrera em "plena função". Resolvi então perguntar à viúva como tinha sido aquela morte, se ele sofrera. Com um gesto, ela pediu que eu me aproximasse mais. Fez uma cara maliciosa que me lembrou a que ela fazia quando antigamente me chamava para ouvir ou contar baixinho alguma "indecência", como dizia Cotinha.

— Sofreu nada. Só pensava naquilo. Nem morto ele quis sair de cima de mim.

Riu com esforço e me fez rir ao descrever a cena: "Foi muito difícil retirar ele de dentro de mim." Só mesmo Leninha para achar graça agonizando. Ela morreu poucos dias depois.

Na visita que fiz dez anos depois, resolvi não contar para o doutor Penafiel as circunstâncias da morte do Tony. Não sei se ele ia gostar de saber que a transformação física pela qual passara seu antigo cliente fora tão eficaz que acabou levando-o à morte, ainda que tenha sido um final feliz e prazeroso.

27. O último segredo

No verão de 1999, levei minha mulher para conhecer Florida. Ela era de Belém e viera estudar na Faculdade de Medicina da Universidade do Brasil, onde fôramos colegas. Seu pai era dono de um grande hospital na capital do Pará e só estava esperando que ela se formasse para entregar-lhe a direção do estabelecimento. Sendo assim, nos casamos no último ano do curso e resolvemos nos mudar para lá para termos um confortável início de carreira. Nessa volta a passeio ao Rio, quis apresentar-lhe minha terra natal.

Nos hospedamos no Hotel Central por uns quatro dias. Não avisei ninguém da família, ou o que restou dela. Por isso, me surpreendi quando junto com a chave do quarto havia um bilhete da recepcionista avisando que alguém queria se consultar comigo. Só que a moça anotara o endereço, mas não o nome da pessoa, nem o telefone. Quando a procurei para saber detalhes, ela, solícita, mas pouco eficiente, informou que era "homem", como se isso me bastasse.

Era perto e, curioso para saber como tinha sido descoberto, resolvi dar um pulo até lá.

O meu possível cliente me recebeu justificando-se.

— Pedi que o chamassem, doutor, porque tenho um câncer na bexiga, já operado, mas estou um pouco preocupado, achando que ele quer me incomodar de novo.

— O senhor não tem um médico na cidade?

— Tenho, mas...

— O senhor não confia nele, é isso?

— Não, confio.

— Então?

— Está bem, vou contar a verdade. Não que seja mentira o que disse antes, mas é que o chamei por outra razão.

— Aliás, estou curioso para saber como o senhor chegou a mim.

— Pelo jornal. O senhor talvez não saiba que sua chegada foi noticiada pelo *Correio Serrano*. O senhor esqueceu que é um filho ilustre?

(De fato, como vi depois no hall do hotel, o jornal dera uma nota generosa falando de mim: "Florida se orgulha de receber, infelizmente por pouco tempo, um dos maiores proctologistas do país, dr. Manuéu Araújo d'Aquino.").

— Mas o senhor mesmo confessou que não me chamou por razões médicas.

— Antes, peço sua paciência para ouvir uma pequena história.

Com um robe de chambre de seda grená sobre um pijama também de seda, só que bege, ele era um homem elegante não só pelo corpo magro e esguio, mas também pelos ralos cabelos prateados penteados para trás e algumas discretas rugas. Quantos anos deveria ter? Com rigor, uns 90; com boa vontade, uns 88. A cara não me era de todo estranha, eu devia conhecer, mas não me lembrava de onde. É mais fácil para um médico lembrar-se de uma doença do que de um paciente.

Ele começou contando que frequentava Florida desde os anos 40 — primeiro como veranista, depois, ao se aposentar, como morador.

— Para ser preciso, foi em 1942. E agora se prepare para a primeira surpresa: foi o ano em que conheci você. Desculpe a intimidade de chamá-lo assim, mas você verá por quê.

Só não houve susto porque era evidentemente um engano. Nessa época nem em Florida eu estava, retruquei.

— Estava sim — ele afirmou com convicção —, é só puxar pela memória.

Enquanto me esforçava para me lembrar do que eu tinha certeza não ter vivido, ele continuou, com um sorriso maroto:

— Procure se lembrar de uma fria e ensolarada manhã desse ano na Praça Central, você de bicicleta andando em torno de sua prima Cotinha. Você me perguntou se eu era tarado, e eu tive vontade de lhe dar um tabefe. Está lembrando?

Foi como se ele tivesse projetado a cena numa tela de cinema. Claro, era o amigo de Douglas! Eu estava me lembrando daquele senhor sentado num banco da praça com o *foulard* que tanto me impressionara. Foi a primeira vez que vi alguém usando o que então me parecia ser "uma gravata que não era gravata".

A história dele, ou parte dela, me veio em poucos segundos. Contada várias vezes por Cotinha e agora recontada por ele, se resumia numa tragédia. Seu filho morrera precocemente num acidente. Me lembrei de Cotinha explicando a Leninha a relação dos dois, dele e do marido dela. "Douglas é o filho que o dr. Amadeu perdeu", dizia, irritada, quando Leninha tentava despertar-lhe ciúme: "Douglas parece gostar mais dele do que de você."

Quando o filho morreu esmagado nas ferragens de um carro na estrada Rio-Petrópolis, sua nora estava grávida de oito meses. Dr. Amadeu agarrou-se ao neto mesmo antes de nascer — e em nenhum momento teve dúvida de que seria homem, um novo filho para substituir o que perdera. Acompanhou o trabalho de parto do lado de fora da sala sem arredar pé. Quando a enfermeira anunciou "é um menino", ele chorou sem se controlar. Foi a primeira pessoa a ver o neto — pela primeira e última vez.

Voltou no dia seguinte, depois foi à casa dela, e havia sempre uma desculpa que o impedia de vê-lo. Até que um dia recebeu o recado curto dado por um advogado: a nora não queria que o filho tivesse qualquer contato com um "avô invertido". O emissário admitia que para esse julgamento ela se baseava apenas no gosto refinado do sogro, nas suas roupas extravagantes e no fato de ser solteiro. Mas sua preconceituosa cliente era inflexível: Que ele não insistisse.

De várias maneiras, Amadeu tentou a reaproximação, inclusive usando o recurso do dinheiro, já que conseguira juntar um razoável patrimônio, além de uma boa aposentadoria. Como alto funcionário da Alfândega, tinha acesso privilegiado a toda a área do contrabando apreendido. Graças a isso, seu patrimônio incluía um valorizado apartamento no Flamengo, aquela casa em Florida e uma invejável poupança. Estava disposto a passar tudo imediatamente para a nora. Talvez porque soubesse que de qualquer maneira todos aqueles bens ficariam mesmo para o neto, único herdeiro, ela não se abalou com a proposta e se manteve irredutível.

— E nunca mais o senhor viu o neto?

— Não. Ela se casou de novo com um fuzileiro naval americano e foi morar nos EUA. O menino nunca mais voltou ao Brasil. É um cidadão de Tio Sam.

Entendi tudo isso, mas continuava sem saber por que ele me chamara ali. Não precisei dizer.

— Evidentemente, não o chamei aqui só para contar essa história.

Levantou-se, pediu licença e se retirou. Em poucos minutos retornou carregando um baú de vime contendo papéis aparentemente velhos, amarelecidos: fotos, recibos, envelopes de cartas. Pegou um maço delas amarradas por um elástico e disse:

— Não abre agora, não. Leva com você para o hotel, leia e volte, se quiser.

Eu já estava ali havia quase uma hora, mas ficaria mais tempo, se não fosse a curiosidade de saber o que continham aquelas cartas. Me despedi com um certo pesar. Fiquei imaginando a solidão daquele outrora poderoso cortesão, sempre cercado de amigos ou simplesmente interesseiros. Não tinha mais ninguém na vida, a não ser o neto perdido e uma velha e doente empregada que, como ele dizia com humor tão negro quanto ela, corria o risco de morrer antes dele.

Levou-me até a porta e disse um convicto "até amanhã". Parecia ter certeza de que eu voltaria. Nessa altura, não tive dúvida de que a consulta fora apenas um pretexto.

Cheguei ao quarto do hotel e felizmente minha mulher não estava. Deixou um bilhete dizendo que fora fazer compras. Ótimo. O que mais queria era ler aquelas cartas.

Abri a primeira, sem data e endereçada ao "meu adorado Douglas". Era uma carta de amor sem qualquer originalidade, cheia de clichês: "Meus dias sem você são uma agonia." "Razão de minha vida." "Paixão abrasadora." A assinatura

218

era meio ilegível: duas iniciais entrelaçadas dentro de um coração. Não me lembrava bem da letra de Cotinha, mas devia ser dela, evidentemente.

Fui lendo uma a uma, arrumando em ordem cronológica crescente, e com decrescente interesse. Eram enfadonhamente parecidas: as mesmas juras de amor, a desconfiança de não estar sendo correspondida, o medo ou a perspectiva do abandono.

O detalhe estranho é que todas as cartas vinham assinadas por iniciais que, prestando bem atenção, não eram as de Cotinha, cujo nome civil era Maria Clara. As letras eram "MG".

Só então me bateu a suspeita de que... não, não podia ser. Que ideia maluca! Se não eram de Cotinha, de quem poderiam ser?

Fui interrompido nessas indagações sem sentido por Magda, que voltou das compras falante e feliz porque encontrara o que queria — calcinhas e sutiãs — pela metade do preço de Belém.

Foi bom porque, embora eu não conseguisse prestar atenção no que ela dizia e no que me mostrava, não consegui também me concentrar naquela hipótese insensata que passou a me perseguir.

Aceitei seu convite para darmos uma volta pelo Centro. Propus então oferecer-lhe "o melhor sorvete do mundo", e só percebi a gafe quando ela, com ar de deboche, perguntou quais os sabores que tinha — se tinha, por exemplo, de açaí, tapioca, carimbó, cupuaçu, castanha-do-pará... e me humilhou citando mais uns dez sabores de frutas típicas de sua terra.

Magda passou o dia me gozando: de vez em quando repetia o nome de uma fruta amazônica. Graças a isso, tirei da cabeça aquela ideia incômoda das cartas. Que ficasse para o dia seguinte, quando então voltaria à casa do dr. Amadeu.

Cheguei cedo e ele estava me esperando com um sorriso de quem diz sem precisar dizer: "Eu sabia."

— É isso mesmo, é a pura verdade — afirmou, confirmando o que adivinhava ser a razão do meu espanto. — O choque que você teve não deve ter sido maior do que o de Douglas no dia em que soube que sua amante era a mãe da moça pela qual se apaixonara.

As lembranças passaram a disputar minha atenção com o relato do dr. Amadeu. A todo momento eu repetia, às vezes em voz alta, como que para acreditar, o que não era mais uma dúvida: Quer dizer que minha tia foi amante e sogra de Douglas! Com que então o "MG" das cartas era de Maria da Glória, a tia Nonoca, aquela que eu surpreendera no fundo da farmácia do seu Canuto! Em um instante passei a entender o que não conseguira em mais de cinquenta anos. Por isso aquele seu ódio descabido, fruto da mistura de rejeição, ciúme e sede de vingança.

Amadeu contou que fora não só confidente de Douglas durante os meses em que durou o caso com tia Nonoca, mas também alcoviteiro — eles se encontravam no seu quarto na casa de Artur. O que para Douglas não teria passado de mais uma aventura, ainda que especial, porque não era todo dia que encontrava uma viúva tão fogosa assim, para ela, no entanto, ele era "o amor de minha vida", como escrevia nas cartas.

— Quando Douglas soube que Cotinha era filha de Nonoca, ele bebeu uns três dias sem parar e sem dormir direito. Com a autoridade que tinha sobre ele, resolvi chamar-lhe a atenção:

"'Você tá fazendo drama, para com isso', disse um dia e, com uma brincadeira de mau gosto, completei: 'Agora, o remédio é comer as duas.'

"Pra quê? Foi a primeira vez que ele se exaltou comigo.

"'Se o senhor não quer perder o amigo, não repita isso. Por favor!'

"Ele estava sinceramente apaixonado por Cotinha. Sempre esteve, até morrer. Curioso, não? Teve todas as mulheres que quis, algumas das mais bonitas da noite carioca, e foi se enrabichar, me desculpe, por uma mignonzinha sem sal e sem pimenta."

Me lembrei então de uma discussão em que Cotinha explicava para Leninha como ela "prendia" Douglas: "Não diz que tem mulher que prende o homem porque dá demais na cama? Pois eu sou o contrário: prendo porque dou de menos.

Ele fica tiririca. Diz que só eu não me entrego a ele. As outras vão à loucura. Eu não. Acho que é porque não gosto mesmo de sexo, não." De fato, raramente ela o procurava sexualmente, tendo desenvolvido uma forma peculiar de amar o marido: com muito afeto e pouco desejo.

Dr. Amadeu prosseguiu:

— Não sei se você se lembra de uma das últimas cartas em que a velha amante reclama de ele ter sumido.

Claro! Era um bilhete em que ela, suplicante, implorava — e isso parecia impensável em minha rebelde tia — pela volta dele. "Volta, te imploro. Quero te ver ainda que seja pela última vez. Não me abandone assim."

A revelação mais chocante, porém, o dr. Amadeu reservou para o final: Cotinha não era filha legítima, mas adotiva de tia Nonoca. Se me fosse contada por outra pessoa, pelo Pepe, por exemplo, eu não acreditaria na história, cuja maior surpresa ainda estava por vir.

Tia Nonoca morreu com quase 90 anos, um ano antes de Tony reencontrar Leninha. Ao contrário da filha, ela sofreu muito com um câncer no intestino. Para aliviar a dor, davam-lhe morfina, que produzia alucinações. Delirava em voz alta e repetia frases assim: "Razão de minha vida", "não me abandone", "não posso te perder".

Acreditando que essas palavras finais eram de saudades do falecido marido, o *Correio Serrano* fez um comovido obituário em que minha tia era exaltada como modelo de comportamento de uma viúva, porque não só se recusara a se casar de novo, como se manteve fiel à memória do marido até a morte. O artigo terminava com uma lição de moral. "Que essa história ocorrida numa simples e virtuosa família sirva de exemplo para a sociedade floridense."

O jornal me fez sentir orgulho de minha sagrada família. A realidade, porém, guardava outra revelação, ainda mais chocante: Cotinha não era filha de Tia Nonoca; fora adotada ainda bebê. Sua mãe biológica era na verdade a Isa. Que Isa? (Eu tive que fazer algum esforço de memória para me lembrar de que se tratava da meretriz mais antiga e famosa da Vila Alegre, primeira amante de Douglas).

A exemplo de outras hóspedes da casa, ela tivera duas opções ao engravidar involuntariamente: o aborto ou a entrega para adoção, providência que em geral ficava a cargo da própria dona Edith, que, católica fervorosa, frequentava a igreja quase clandestinamente — ia à missa das seis horas com a cabeça coberta por um véu. Sua ocupação de dona de bordel não impedia, porém, que ela fosse uma devota fervorosa da União das Filhas de Maria, colaborando generosamente com as obras de caridade da congregação e com a reforma da paróquia, o que a tornava uma pecadora respeitável, capaz de recorrer às suas piedosas companheiras de fé para ajudar a resolver casos de adoção como o da filha de Isa. Para a congregação, cada criança adotada era uma vida que fora salva do aborto.

Naquele dia, a capacidade do dr. Amadeu de me causar estupefação parecia inesgotável. "Agora, prepare-se para o pior", me avisou, esclarecendo que ia revelar o que nem os envolvidos no episódio sabiam. Após alguns segundos de silêncio, olhou em volta, baixou o tom de voz e segredou: "O pai da filha de Isa, isto é, de Cotinha, foi ninguém menos que o próprio Douglas." Frequentador precoce da zona, ele teria seus 14 anos quando conheceu Isa, e se apaixonaram — ela muito mais do que ele. Quando engravidou, Isa se recusou a tirar a criança; preferiu entregá-la a dona Edith para adoção.

Custei a me dar conta do que acabara de ouvir. Confuso, me perguntava: será que era aquilo mesmo? Douglas tinha se casado com a própria filha? Não era possível. Cotinha filha de Isa com Douglas?

Fiquei tão transtornado que não consegui guardar mais detalhes da história. Lembro-me apenas de ter perguntado ao dr. Amadeu como ele soubera.

— A própria dona Edith me contou. Sempre que vinha a Florida, mesmo depois da morte de Douglas, eu ia visitá-la, não como cliente, evidentemente. Conversávamos, ela me falava das novidades e assim renovávamos a velha amizade. Foi numa dessas visitas que ela me revelou que ouvira a inconfidência diretamente da sua colega de congregação, justamente aquela que fora encarregada de dar destino à recém-nascida entregue por dona Edith, isto é, a filha de Isa e Douglas, Cotinha, futura esposa de seu próprio pai. Nada disso fazia sentido para mim. Por que, por exemplo, tia Nonoca teria resolvido adotar uma filha?

O que ouvi a seguir faz parte também do relato de dona Edith ao dr. Amadeu. Aqui a transcrição literal:

— Como sua tia já tinha desistido de engravidar, resolveu partir para a adoção, sabendo que o melhor lugar para isso era a Congregação. Acontece que a colega a quem recorreu era justamente aquela a quem dona Edith queria entregar o bebê de Isa. Evidentemente, sua tia jamais teve conhecimento de quem se tratava.

— Mas como não engravidava, se teve Leninha depois?

— Pois é. Essa é outra coincidência desse festival de acasos. Um belo dia, apenas alguns meses depois, sem esperar, pois continuava não usando qualquer preventivo, sua tia apareceu grávida de Leninha.

* * *

Magda não entendeu por que passei algumas noites tendo pesadelos, sem conseguir dormir direito. Ainda incrédulo e com todas as minhas certezas abaladas, não tive ânimo de lhe contar que acabara de tomar conhecimento da mais incrível história de incesto que jamais conheci em toda a minha vida de médico. Até numa daquelas radionovelas que minha tia e minhas primas adoravam acompanhar diariamente, o caso seria inverossímil demais. Nem elas acreditariam.

Mesmo com rádio, televisão e, agora, com mais um jornal, quem informou o *Correio Serrano* de minha chegada foi Pepe.

— Como é que você soube?

— Meu amigo Quaresma, motorista que faz ponto na Estação há quase cinquenta anos, me contou como era o novo visitante, se estava acompanhado e onde se hospedara. Aí, eu passei para a Dalva, grande repórter do jornal, que apurou o resto.

Aproveitei a disposição de dar com a língua nos dentes que Pepe mantinha intacta para matar minha curiosidade em relação a alguns personagens de minha época. Ele faria isso com o maior prazer.

— Pepe, o que foi feito de dona Edith?

— Você não soube, não? Morreu de desgosto quando teve que fechar a casa por falta de clientes. A culpada foi a tal da AIDS. Com medo, ninguém queria ir mais lá.

Não pude deixar de notar a ironia. O vírus HIV foi mais poderoso do que o bacilo de Koch. Ao contrário da tuberculose, que estimulava o movimento na casa de tia Edith, a AIDS promoveu seu fechamento.

— E Joel maluco?

— Parece que está morando numa casinha muito modesta lá pelos lados da Granja do Moinho de Vento com seus livros e o violão.

— Da turma que se reunia aqui em frente, quem sobrou?

— Leleco sofreu muito no golpe de 64. Foi preso, torturado e depois se retirou para um sítio lá no Campo das Tulipas. Quanto ao Galinha Verde, esse continua cacarejando por aí.

O movimento na sorveteria aumentava e Pepe era muito solicitado. Mas não se locomovia mais entre as mesas, afetado pela idade avançada. Resolvi ir embora.

— Uma última pergunta, Pepe. E aquele nosso don Juan?

— Teve o pior fim que um garanhão poderia ter: acabou broxa.

— Como é que você sabe?

— Porque as mulheres anunciam o que é bom, mas não perdoam o que não presta. Todo mundo ficou sabendo.

— E o que ele faz agora?

— Vem aqui, toma café, sai, senta num banco da praça e fica ali, sozinho, borocochô, murcho como o próprio... desculpe, agora o senhor é doutor (e caiu na gargalhada com a comparação que pensou em fazer). Nunca vi uma mulher passar e olhar para ele. De dar pena.

Florida tinha mudado muito. Na verdade, nem Pepe era mais o mesmo. Em outros tempos, eu teria sabido a história de Douglas-Cotinha por ele, quando era o primeiro a dar as últimas.

Estava na hora de voltar para o meu hospital em Belém do Pará.

Este livro foi impresso
pela Lis Gráfica para a
Editora Objetiva em
julho de 2012.